Calabar

Chico Buarque
Ruy Guerra

Calabar
O elogio da traição

Letras
Chico Buarque e Ruy Guerra

Música
Chico Buarque

40ª edição

CIVILIZAÇÃO BRASILEIRA
Rio de Janeiro
2025

COPYRIGHT © Chico Buarque e Ruy Guerra, 1997

CAPA
Evelyn Grumach

PROJETO GRÁFICO
Evelyn Grumach e João de Souza Leite

CIP-BRASIL. CATALOGAÇÃO NA FONTE
SINDICATO NACIONAL DOS EDITORES DE LIVROS, RJ

Buarque, Chico, 1944-
B951c   Calabar, o elogio da traição / Chico Buarque e Ruy Guerra.
40. ed   letras de Chico Buarque e Ruy Guerra, música de Chico
        Buarque. – 40ª ed. – Rio de Janeiro: Civilização
        Brasileira, 2025.
        112p

ISBN 978-85-20001-37-0

1. Teatro brasileiro (Literatura). I. Guerra, Ruy, 1931-
II. Título.

46-1029
CDD – 869.92
CDU – 869.0(81)-2

Todos os direitos reservados. Proibida a reprodução, armazenamento ou transmissão de partes deste livro, através de quaisquer meios, sem prévia autorização por escrito.

Este livro foi revisado segundo o novo Acordo Ortográfico da Língua Portuguesa.

Direitos desta edição adquiridos pela
EDITORA CIVILIZAÇÃO BRASILEIRA
um selo da
EDITORA RECORD LTDA.
Rua Argentina, 171 – 20921-380 – Rio de Janeiro, RJ – Tel.: (21) 2585-2000

Seja um leitor preferencial Record.
Cadastre-se e receba informações sobre nossos lançamentos e nossas promoções.

Atendimento e venda direta ao leitor:
sac@record.com.br

Impresso no Brasil
2025

Sumário

A roda viva de Calabar: Dialética da traição — Chico/Ruy   7
Duas vezes Calabar — Fernando Peixoto   11
Uma reflexão sobre a traição — Fernando Peixoto   15
Ficha técnica do primeiro espetáculo   25
Ficha técnica da nova versão   27

A roda viva de *Calabar*:
Dialética da traição

CHICO. Há uma diferença de seis anos de *Roda viva* para *Calabar*. Para mim, nessa faixa de 20 a quase 30 anos, a gente muda muito. *Calabar* é um trabalho bem mais elaborado. *Roda viva* foi escrito, assim, em um mês, um mês e pouco, e praticamente remontado e reestruturado. *Calabar* nós começamos a fazer em agosto/setembro do ano passado, foi um ano de trabalho, de mudar no meio, começar tudo de novo. Não que a gente tenha entregado o texto fechadíssimo. É um trabalho mais denso, e, por outro lado, também é um trabalho que exigiu pesquisas. É um tema histórico. Não é um tema de televisão como *Roda viva,* um tema de experiência pessoal. E depois, é um trabalho feito de parceria, o que já muda muita coisa. É um trabalho totalmente diferente. Inclusive a montagem de Fernando Peixoto é bastante diferente da do José Celso, apesar de o Fernando ter trabalhado muito com ele. É outro tipo de teatro: aquele tipo de teatro de agressão não é a intenção do Fernando, aquele negócio de entrar no meio do público... Só tem é um boi que voa...

RUY. A montagem do Fernando é uma coisa mais clássica, mas vai desde o Teatro de Revista até Planchon, se quiser. Não há um interesse em revolucionar o teatro. Pelo contrário, a interpretação é marcada num sentido assim bem quadrado.

CHICO. E também naquela época alguma coisa era possível: uma liberdade de improvisação. Tinha horas, em *Roda viva*, em que o personagem podia fazer o que queria. Ele falava o que bem entendia, dedicava o espetáculo a quem queria, xingava os caras, o Vinicius, por exemplo. Eu, quando assistia à peça, era pichado sempre. Então, hoje não pode mais fazer isso, quer dizer, o sujeito tem que seguir direitinho o texto. A única coisa que tem é que são duas peças de teatro. Mas eu também já trabalhei com o teatro, desde o começo, desde a música para o poema de João Cabral, e fiz outras músicas para o Oficina. Meu trabalho sempre foi muito ligado ao teatro.

RUY. Antes de *Calabar*, a gente se preocupou mais com a traição; parece que *Calabar* veio com a preocupação da traição. E a traição é um negócio que a gente pode bater em muitos níveis. Pode bater num nível inteiramente metafísico. Pode bater num nível inteiramente circunstancial. Pode bater num nível ideológico. E é evidente que, para nós, não interessa discutir a traição de uma forma absoluta, porque a traição é um tema filosófico. Eu acho que a traição é um negócio que está patente no mundo moderno: o conceito de traição, o conceito de fidelidade. Você pode citar Jane Fonda, pode citar a fidelidade ao poder do Nixon (que não quer dar as fitas). Onde é que está a traição, no eleitorado dele, ou não?

CHICO. Inclusive me lembro de que nessa época eu estava escrevendo. A gente começou a escrever. Tinha aquele episódio da Jane Fonda, por exemplo, que a gente comentou, até: você não vai colocar a Jane Fonda na peça, vai? Mas, mais ou menos, foi isso: um senador, não sei que, e quiseram processar a Jane Fonda por crime de alta traição.

RUY. No comportamento dela em relação à guerra do Vietnã, não é? Então a traição... ou a fidelidade, hoje, é um negócio que você encontra em todas as áreas de comportamento. Se você quiser debater num nível até pessoal, você encontra um conceito de traição. Então, a partir daí, colocamos a matéria. É difícil, portanto, ver a gênese da coisa: se a gente buscou Calabar para debater a traição, ou se o Calabar justamente nos proporcionou o debate. Não é, pois, uma ideia primeira a partir da qual você desenvolve. É um conjunto de coisas. O que se debate também em *Calabar,* não explicitamente, mas obrigatoriamente, é o conceito de pátria. Porque é coisa fundamental da época. Quer dizer: naquela época, tínhamos os brasileiros, os portugueses, os espanhóis, os holandeses, aquela confusão toda. Havia uma série de divisões internas. Mathias representa toda uma.

De "Cala Boca, Bárbara", entrevista de Chico Buarque e Ruy Guerra, editada pelo DCE-PUC, Rio de Janeiro, 1973.

Duas vezes *Calabar*
(datas)

Fim de junho de 1973: Chico e Ruy me procuram em São Paulo. Trazem o texto de *Calabar* e a proposta de assumir a direção do espetáculo. Já havia muitos anos de amizade antes disso, mas partimos para uma verificação crítica mútua: Chico e Ruy foram para o Teatro São Pedro assistir a um espetáculo meu, *Frank V* de Dürrenmatt, enquanto eu fui para o bar Riviera ler o texto deles. O acerto foi selado na Baiuca. A peça estava liberada pela censura federal desde abril. Nas semanas seguintes, fui para o Rio: acertamos os produtores, Fernando Torres e Fernanda Montenegro, e todos juntos acertamos a equipe de produção.

Dia 25 de julho concluímos os últimos detalhes, marcamos a estreia para novembro. Em *agosto* iniciamos a fase de preparação e escolha de elenco.

Em *setembro* e *outubro* ensaiamos em Ipanema.

Dia 30 de outubro entramos no Teatro João Caetano, no Rio. Trecho de uma anotação de trabalho desse dia: "Mais notícias da repressão: Fernando telefona de Brasília avisando que o texto está sendo revisado pelo SNI e o prazo para uma solução é indeterminado. Isso pode paralisar tudo. Faço uma reunião de urgência, no Museu de Arte Moderna, com Chico e Ruy. Nossa decisão é ir até o fim. Na pior das hipóteses, filmar o espetáculo. Proponho tentar uma encenação em Buenos Aires, provavelmente com Nacha Guevara. Telefonarei ao Boal para saber das possibilidades e para prevenir Nacha. Volto para o teatro. Os maquinistas estão terminando o trabalho. Ensaio cinco horas. A linguagem visual do espetáculo finalmente se define. A estrutura se mantém sólida no novo espaço. Praticamente todos os atores encontram a equivalência entre o que havia sido ensaiado na casa da Vieira Souto. Há um material fascinante para trabalhar nestes próximos dias. Mas o que me pesa na cabeça é a quase certeza de que este espetáculo nunca será visto por ninguém."

A agonia termina definitivamente *dia 13 de novembro*, depois de fracassarem todas as tentativas dos advogados em Brasília e depois de termos sido proibidos até mesmo de documentar o espetáculo (apesar disso, os últimos três ensaios foram feitos praticamente de portas abertas e muita gente assistiu; mesmo sem luz e som instalados, tudo funcionava, ainda que o trabalho não estivesse efetivamente concluído; do último ensaio, guardo uma imagem significativa: havia dois garotos vendendo balas e chocolates na plateia...): "Parar tudo, não há outra alternativa. Uma definição do governo diante da cultura: censura econômica. Mandaram dizer que não há proibição: apenas o texto ficará quatro meses preso para revisão. A censura foi censurada, por ordens superiores. O ensaio para a censura não foi autorizado, já que a peça está 'avocada por instância superior para reexame do texto'. A censura foi desautorizada até mesmo de exercer uma de suas funções, que é proibir. E nós estamos definitivamente castrados. Agora resta encontrar o elenco para encerrar tudo. Aguardo a chegada de Fernando, para este encontro. Vim agora do Bar Luiz, onde estive com Chico e Ruy. Uma última hipótese: filmar o espetáculo em Petrópolis. Mas parece meio utópico. Quem sabe? Antes estivemos na Philips e na Civilização Brasileira, onde apanhamos os primeiros 50 exemplares do livro."

E minha última nota, datada de *15 de novembro*: "Ontem gravei com Mário uma conversa sobre o nosso trabalho. Agora, chega. Acabou *Calabar*."

Entre 15 e 21 de agosto de 1979, no Rio, retomamos *Calabar*: com Chico e Ruy, análise crítica e autocrítica do texto, em sua versão original, e do espetáculo abortado realizado seis anos antes. O avanço e a maturidade das lutas populares e democráticas forçam o governo a fazer concessões. Estamos vivendo o princípio da chamada "abertura" e parece possível conquistarmos novos critérios, certamente mais brandos, para a censura. É a ocasião de retomar um projeto que foi interrompido nos mais difíceis anos de repressão. Mas encenar *Calabar* agora não significa refazer o espetáculo anterior. Nem mesmo partir do texto original. Tudo se transformou: o país, nós mesmos, a linguagem teatral, as exigências culturais, a forma de encarar a temática, ainda que esta nos pareça vigente e essencial. Revemos o texto, fala por fala, questionando personagens e estrutura. Cerca de dez horas de trabalho. Tudo gravado.

Dia 14 de setembro, uma possibilidade mais concreta de montagem: Renato Borghi, Martha Overbeck e Othon Bastos se interessam pela produção. Fazem contato com Ruy e com Chico. A retomada do trabalho estava praticamente acertada com os mesmos produtores de 1973, Fernanda e Fernando. Uma questão de datas decide tudo: Fernanda e Fernando estudam a programação de sua companhia e não encontram forma de produzir *Calabar* nos primeiros meses de 1980. Acreditam na urgência da montagem e, diante da proposta concreta dos novos produtores, abrem mão do espetáculo. Chico e Ruy refazem a estrutura do texto, desenvolvendo conflitos e personagens, esclarecendo trechos demasiado datados ou confusos.

Dia 7 de janeiro de 1980, no Teatro João Caetano (mas de São Paulo), começam os preparativos para a montagem, que estreará no Teatro São Pedro (onde *Frank V* estava em cartaz quando, em 1973, aceitei a direção), e os ensaios são realizados no Teatro Ruth Escobar (onde, em 1977, num seminário de leituras públicas de textos proibidos, *Calabar* foi lido por um grupo de atores sob direção de Mário Masetti, que havia sido o assistente de direção da versão abortada em 1973).

Mais uma data: *dia 24 de janeiro de 1980* o texto de *Calabar* é liberado (ou anistiado) para menores de 14 anos pelo Conselho Superior de Censura.

Hoje estou a mês da nova estreia. Mais uma vez, com confiança no texto e no espetáculo. Mas ainda com irreprimível apreensão diante das impostas e imprevisíveis autoridades, não populares nem democráticas, que impunemente determinam os limites do permissível.

FERNANDO PEIXOTO

Uma reflexão sobre a traição

1. Trecho de um sermão do Padre Vieira: "Os senhores poucos, os escravos muitos; os senhores rompendo galés, os escravos despidos e nus; os senhores se banqueteando, os escravos perecendo à fome; os senhores nadando em ouro e prata, os escravos carregados de ferros; os senhores tratando-os como brutos, os escravos adorando-os e temendo-os como deuses; os senhores em pé, apontando para o açoite, como estátuas de soberba e tirania, os escravos prostrados com as mãos atadas atrás, como imagens vilíssimas da servidão e espetáculos de extrema miséria."

É o Brasil do século XVII, vítima da colonização portuguesa. É, no período que vai de 1630 a 1654, vítima da invasão holandesa. Um país dilacerado pela batalha sangrenta entre portugueses e holandeses, reflexo das contradições fundamentais da política internacional da Europa. Por trás das motivações da luta, frequentemente disfarçadas como disputas religiosas, está o objeto básico da pilhagem: o açúcar — o lucro da produção dos engenhos e canaviais, e o lucro da distribuição nos portos europeus. Não existem ainda condições maduras, do ponto de vista social, econômico, nem político, para uma opção brasileira, para uma luta de libertação nacional. Nativos, índios ou negros, brancos ou mulatos, mamelucos ou mestiços, lutavam de um lado ou de outro. Os índios tupis, por exemplo, estavam ao lado dos portugueses, enquanto os tapuias aderiram ao exército holandês, por uma série de razões. A chamada "resistência brasileira", a luta de guerrilhas que impede a consolidação da invasão holandesa, é sobretudo a resistência do colonialismo português.

Descrevendo a queda do domínio holandês, os historiadores José Honório Rodrigues e Joaquim Ribeiro afirmam categoricamente "que a luta é, pois, inegavelmente, um conflito entre as classes rurais e as classes urbanas, e não um movimento nacional". Citam Barbosa Lima Sobrinho que afirma que no "Brasil do século XVII não se encontraria ainda nenhum indício de consciência nacional brasileira". Os holandeses foram expulsos por uma luta revolucionária (auxiliada inclusive pela Inglaterra, interessada em destruir a hegemonia marítima da Holanda) estimulada pela situação econômica ruinosa dos senhores de engenho (a política administrativa e econômica dos holandeses no Brasil produziu a decadência do patriarcado rural e o aparecimento de uma burguesia mercantil nos centros urbanos, aguçando a contradição entre a cidade e o campo): com os holandeses no poder, os senhores de engenho não mais dominam a vida econômica e política da colônia; engenhos, escravos e instrumentos de trabalho não mais pertencem a seus antigos proprietários; os grandes senhores da vida colonial são os mercadores. A revolta é a única saída para os senhores de engenho. A batalha é travada em nome da libertação do país e da defesa do catolicismo. Na verdade é travada pelo poder, pelo lucro. Aos brasileiros restava a possibilidade de escolher um lado ou outro. Os interesses econômicos determinavam as opções. Traição era uma atitude cotidiana, aliás implícita na própria colocação do problema: defender Portugal ou defender a Holanda significava uma traição ao Brasil. Trocar de lado era um hábito constante. De toda esta confusão, restou um bode expiatório: Calabar. Desde os bancos de escola primária nos ensinam que Calabar foi um traidor. Nada mais lógico, já que nossa história oficial defende o ponto de vista da colonização portuguesa. Para os holandeses, entretanto, Calabar é um herói.

Na verdade, ao contrário de muitos delatores ou mercenários, Calabar fez uma opção. Sua chamada "traição" só pode ser compreendida no seio desta opção, que ele manteve até suas últimas consequências: foi morto e esquartejado. Acreditou que os holandeses pudessem trazer ao país um governo mais livre e mais humano, menos opressivo e escravizador que a colonização portuguesa. Na dramaturgia moderna, Brecht, mais do que ninguém, desmistificou de forma irreversível o conceito de herói. Em *Calabar — O elogio da traição* (a referência ao *Elogio da loucura* de Erasmo, no subtítulo da peça, não é gratuita, mas sim fruto de uma postura lúcida e irônica), Ruy Guerra e Chico Buarque de Holanda desmistificam, com inteligência e sensibilidade, o conceito de traidor. E o conceito, vazio e abstrato, de "traição".

2. Infeliz o país que tem necessidade de heróis, afirma Brecht em *Galileu Galilei*. Em certo sentido, o texto de *Calabar* parece afirmar: infeliz o país que tem necessidade de traidores. Mas não interessou a Ruy Guerra e Chico Buarque reabilitar a figura "maldita" de Calabar. Nem condená-lo. O texto não pretende ser uma peça histórica, ou seja, reconstituição minuciosa de uma época, suas motivações, contradições etc. A História é utilizada como matéria para uma reflexão que ultrapassa os limites de determinadas circunstâncias político-econômicas já superadas.

Em última análise, todos os personagens são históricos (com exceção de Anna de Amsterdã, mas mesmo ela é uma síntese, em certo sentido, de tantas prostitutas importadas nos navios holandeses) e todos os fatos são históricos. Mas na peça servem apenas de ponto de partida para uma criação livre, espontânea, criativa e pessoal. O passado é revisto com a lucidez de quem vive o presente: com a consciência de quem mergulha na História em busca de uma compreensão do mundo de hoje. *Calabar*, neste sentido, é uma reflexão aberta, irônica e provocativa, teatral e musical, grotesca e crítica, existencial e materialista, sobre o significado, tornado relativo, portanto passível de interpretação, do problema e do significado da traição.

3. A Companhia das Índias Ocidentais, sociedade por ações, organizada na Holanda em 1621, visando multiplicar a acumulação de capital, justificada e apoiada pelo calvinismo, utiliza a pilhagem e o assassinato, o saque e a pirataria — no momento em que o capitalismo dá seus primeiros passos no continente europeu —, procura invadir o Brasil em 1624, atacando a Bahia, mas sofre violenta derrota. O ano de 1621 marca o fim da trégua entre Holanda e Espanha (que domina Portugal, que, por sua vez, domina o Brasil). Para os comerciantes holandeses torna-se imprescindível a conquista de nova área de produção. O alvo é Pernambuco. Em outras palavras, o alvo é o açúcar, a produção dos engenhos e dos canaviais. Para os invasores, entretanto, interessa conquistar o território, mas manter intato o sistema de produção. As tropas holandesas desembarcam em 1630, mas não conseguem expandir seu domínio com muita facilidade: os portugueses resistem, sobretudo no Arraial de Bom Jesus, chefiados por Mathias de Albuquerque, auxiliado por um negro embranquecido, Henrique Dias, e por um índio cristianizado, Felipe Camarão. E por um guerrilheiro quase invencível, Calabar.

No dia 20 de abril de 1632, quando a luta está numa espécie de empate, Calabar muda de lado. E os holandeses começam a triunfar, ganhar território, expulsar os portugueses. Para transformar o Brasil numa Nova Holanda, os conquistadores holandeses enviam Maurício de Nassau, uma das personalidades mais fascinantes e contraditórias da história do Brasil. Trazendo uma corte de artistas e cientistas, Nassau estabelece o choque entre o importado do humanismo renascentista europeu e o primitivo missioneirismo medieval encarnado pela Companhia de Jesus. Nassau transforma a paisagem e concilia os choques de classes. Estabelece a lei como igual para todos, sejam quais forem os protegidos ou punidos. Concede medidas de tratamento mais humano para os negros, organiza uma câmara com igual número de representantes holandeses e brasileiros, permite, dentro de medidas, a liberdade de culto: é preciso não esquecer que os protestantes são os membros de seu governo e seus chefes, os católicos são os senhores de engenho — a produção, e os judeus representam o comércio, o capital. Por trás de uma política de conciliação aparentemente liberal existe o planejamento estudado de um estadista hábil: paz significa maior produção, maior produção significa maior lucro. Mas Nassau não se descuida também de ações militares, mantendo viva a guerra de conquista. Acaba, entretanto, destituído de seu posto, por suas próprias contradições. Sua administração não era vista com bons olhos pelos duros dirigentes da Companhia das Índias Ocidentais, que não estava interessada em suas obras de jardinagem ou urbanização, construção de pontes ou palácios. Internamente também as contradições se aguçam: Nassau ataca a monocultura do açúcar e chega mesmo, timidamente, a ameaçar a estrutura do latifúndio. Em seu governo as cidades crescem, os senhores de engenho perdem seu domínio econômico e político. Assim mesmo, Nassau faz as moendas funcionarem na produção do valioso pó branco: de 166 engenhos da região, ao menos 120 voltam a produzir. Muitos são confiscados e colocados em leilão. A resistência portuguesa não cessa, mas a figura de Nassau assegura um momento de festa.

Um dos principais líderes da expulsão dos holandeses, José Fernandes Vieira, só assumirá esta postura política após o afastamento de Nassau: no período nassoviano não só admira como colabora com os holandeses. Em certo sentido, Nassau assume o sonho de Calabar: o utópico sonho de um país mais livre. Mas a pacificação e a colonização liberal não poderiam ser um fim para os ávidos abutres da CIO. Em seu testamento político, quando deixa o Brasil, que tanto amou, em 1644, Nassau afirma: "Eu continuo um homem de armas. E um humanista. E essa combinação é difícil em qualquer século. E porque conquistei mas não fui cego no exercício do poder, porque das armas e da repressão não fiz a minha última paixão, dizem agora que errei. A mesma Companhia que me trouxe, me leva." Na peça, vigiado constantemente por um enigmático e fleumático agente da CIO, Nassau compreende suas contradições e, impotente diante da força, renuncia.

4. A estrutura de *Calabar* é profundamente teatral na medida em que escapa às regras habituais da dramaturgia bem-comportada. Existe uma unidade que se manifesta justamente na descontinuidade quase cinematográfica do relato. Cada cena se exprime livremente, independente das demais, em termos de estrutura. Mas o todo conserva uma linha dramática consequente, lógica, objetiva. No princípio, inesperadamente, um personagem se dirige ao público e pede atenção: "Não a atenção que costumais prestar aos oradores sacros. Mas a que prestais aos charlatães, aos intrujões e aos bobos de rua." É quase uma declaração de princípios: o texto é popular, na medida em que a história é revista segundo uma perspectiva transformadora, desmistificadora, e se resolve cenicamente em termos de comédia e de teatro musical, apesar dos momentos em que o texto deliberadamente mergulha na análise dos movimentos mais íntimos e escondidos da alma dos personagens.

Para o espetáculo, o primeiro problema a solucionar é encontrar a dosagem entre um realismo crítico distanciado e um psicologismo existencial, exposto com vigor e penetração. Mas todos os recursos são válidos para desvendar esta rede de traições. A cada instante, em cada momento, os personagens traem.

Traem alguma coisa, alguém, alguma ideia, ou traem a si mesmos. Para um personagem, num espasmo de lucidez, em determinado momento o simples fato de continuar vivo é uma traição. Para Bárbara, a mulher de Calabar, a traição é uma obsessão que ela procura desvendar em suas últimas consequências, entregue de corpo e alma a uma tentativa desesperada de compreensão. No personagem Sebastião de Souto, a traição inicialmente cotidiana e mesquinha se transforma, conscientizada quase através de um processo de enlouquecimento irracional e lúcido, num ato final de entrega, num suicídio anárquico e individual que ao mesmo tempo não está isento de uma conotação trágico-grotesca, de uma última e derradeira forma de compreensão e ação. O que interessa ao texto é o comportamento dos homens entre si, observados numa determinada circunstância histórica. Esta postura traz o texto até nossos dias. Faz de *Calabar* uma reflexão sobre o hoje e o aqui, sobre a responsabilidade, a ética, a opção e os possíveis destinos do homem num mundo de guerra e paz. A parábola parte da realidade para chegar ao espectador de forma nítida, num convite à reflexão sobre a transformação desta realidade. Todos os personagens vivem na lama da traição e estão perdidos numa selva de traidores. Mas não são motivados: vivem suas contradições de forma vital, humana, profunda.

Mathias de Albuquerque chefia a resistência portuguesa sonhando com um Brasil português: "Ah, esta terra ainda vai cumprir seu ideal/ Ainda vai tornar-se um imenso Portugal." Mas ele mesmo afirma que quando tortura ou mata, no fundo é um sentimental e chora: "E se a sentença se anuncia bruta/ Mais que depressa a mão cega executa/ Pois que senão o coração perdoa." No momento de se retirar do país (será preso em Portugal e responsabilizado pela entrega de Pernambuco aos holandeses), é um homem em crise que confessa ao Frei (que é um homem que está sempre de todos os lados, e ao mesmo tempo de nenhum, encarnação viva da traição permanente) seu grande pecado: às vezes chegou a pensar mais no Brasil do que em Portugal e, no momento de mandar executar Calabar, teme se deixar levar pela tentação de libertar um homem que fez sua opção e que teve a dignidade de agir por conta própria. Nassau (é proposital e fundamental, no espetáculo, que Mathias e Nassau sejam interpretados por um mesmo ator: ambos significam a mesma coisa, como vassalos do colonialismo, e ambos sofrem quase que o mesmo processo interior, ainda que em circunstâncias diversas) chega ao país afirmando que Calabar não morreu em vão. Mas, no final, trai o sonho de Calabar e regressa à Holanda, com lágrimas nos olhos, carregado nos braços dos índios. Sai cantando seu sonho colonialista: "Porque esta terra ainda vai cumprir seu ideal/ Ainda vai tornar-se um imenso canavial."

Em *Calabar* compreender o peso e conteúdo da traição de cada um, ou das inúmeras traições de cada um, é um primeiro passo para a compreensão do enunciado de um teorema complexo, contraditório, fascinante e provocante, lírico e feroz, escrito com paixão e sentido crítico por Ruy Guerra e Chico Buarque. Cabe ao espectador observar homens agindo, pesar suas ações e alternativas, ver o que fizeram, onde foram omissos ou responsáveis. O texto não encerra uma solução dogmática, nem o espetáculo pretende fechar as chaves de entendimento dos fatos. Cabe ao espectador, diante dos caminhos oferecidos à sua sensibilidade e inteligência, omitir-se ou escolher sua forma de pensar. O espectador, diante do espetáculo, é livre. O que importa é o diálogo palco-plateia. A realidade, a ser transformada, está fora do teatro. O palco não quer entregar ao público nenhuma verdade, nenhuma certeza. Ao contrário, quer provocar dúvidas, desconfiança e perplexidade.

FERNANDO PEIXOTO

Ficha técnica do primeiro espetáculo

PRODUÇÃO	Fernando Torres Diversões
DIREÇÃO	Fernando Peixoto
DIRETORES ASSISTENTES	Mário Masetti e Zdenek Hampl
DIREÇÃO DE PRODUÇÃO	Cacá Teixeira
ASSISTENTE DE PRODUÇÃO	Renato Laforet e Leda Borges
DIREÇÃO MUSICAL	Dori Caymmi
ORQUESTRAÇÃO	Edu Lobo
COREOGRAFIA	Zdenek Hampl
CENÁRIOS	Hélio Eichbauer
FIGURINOS	Rosa Magalhães e Hélio Eichbauer
ILUMINAÇÃO	Antônio Pedro
SONOPLASTIA	M. S. 2001
DIVULGAÇÃO	Leda Borges
ELENCO	Tetê Medina, Betty Faria, Hélio Ariz, Antônio Ganzarolli, Lutero Luís, Flávio São-Tiago, Perfeito Fortuna, Deoclides Gouvêa, Odilon Wagner e mais: Ana Maria Vianna, Ângelo de Marcus, Antônio Pompeu, Anselmo di Vasconcelos, Belara Guidi, Carlos Alberto Santana, Dirce Morais, Dulcilene Morais,

Imara dos Reis Ferreira, Ivens Godinho, José Roberto Mendes, Katia D'Ângelo, Lincoln dos Santos, Márcia Augusto, Maria Alves, Maria do Carmo, Nilton Brandão, Nina de Pádua, Octávio César, Paschoal Villaboim, Paulo Afonso Gregório, Paulo de Tarso, Paulo Terra, Suzanne Motta Jacob, Taíse Costa, Thelmo Marques, Viliam, Wladimir Gonçalves.

MÚSICOS
Danilo Caymmi, Dori Caymmi, João Palma, Maurício Mendonça, Tenório Jr.

Ficha técnica da nova versão

PERSONAGENS E INTÉRPRETES:

FREI MANOEL DO SALVADOR *Sérgio Mamberti*

MATHIAS DE ALBUQUERQUE E
MAURÍCIO DE NASSAU *Othon Bastos*
BÁRBARA *Tânia Alves*
ANNA DE AMSTERDÃ *Martha Overbeck*
OFICIAL HOLANDÊS *Osmar di Pieri*
SEBASTIÃO DO SOUTO *Renato Borghi*
HENRIQUE DIAS E
PAPAGAIO OBA *Gésio Amadeu*
FELIPE CAMARÃO E ESCRIVÃO *Miguel Ramos*
AGENTE DA CIO *Elias Andreato*

E A PARTICIPAÇÃO EM DIVERSOS
PERSONAGENS DOS ATORES:

Ariel Moshe
Dadá Cyrino
Édsel Britto
Ina Rodrigues

Luiz Braga
Luiz Carlos Gomes
Mercedes de Sousa
Mônica Brant
Samuel Santiago
Wilson Rabelo
Zdenek Hampl

DIREÇÃO-GERAL	Fernando Peixoto
DIREÇÃO MUSICAL, ARRANJOS E MÚSICA DE CENA	Marcus Vinicius
CENOGRAFIA E FIGURINOS	Hélio Eichbauer
COREOGRAFIA	Zdenek Hampl
DIRETOR ASSISTENTE	Wagner de Paula
SÓCIA GERENTE	Regina de Souza Malheiros
ASSESSORIA ADMINISTRATIVA	João Luiz Rossi
DIVULGAÇÃO	Sergio Ascoly
PRODUÇÃO EXECUTIVA	Eliane Bandeira
SONOPLASTIA	Cacá
ILUMINAÇÃO	Mário Masetti
FOTOGRAFIAS	José Rodrigues
CARTAZ	Elifas Andreato
PROGRAMA	Alexandre Huzak
DIRETOR DE CENA	Paulo Carrera
CAMAREIRA	Helena Lima da Silva
MAQUINISTA	Paschoal Landi
CENOTÉCNICO	João Tereza
OPERADOR DE LUZ	Adolfo Santana
COSTUREIRA	Alice Corrêa

MÚSICOS:
BATERIA E PERCUSSÃO *Magno Bissoli Siqueira*
CONTRABAIXO E VIOLÃO *João Carlos Mourão*
VIOLÃO, GUITARRA
E BANDOLIM *Fernando (Mu)*
FLAUTA, SAX-SOPRANO
E SAX-TENOR *Márcio Werneck*
  Muniz
FLAUTA E SAX-ALTO *Zeymar*
TROMPETE *Dagmar*

Primeiro ato

Abre o pano. Escuridão completa. Sininho de sacristia.

FREI. *Agnus Dei qui tollit peccata mundi...*
MORADORES. *Miserere nobis.*
FREI. *Agnus Dei qui tollit peccata mundi...*
MORADORES. *Miserere nobis.*
FREI. *Agnus Dei qui tollit peccata mundi...*
    Moradores cantam:
Miserere nobis
Miserere nobis
Miserê
'renó
Bis
Miserê
Renobis
Misererenobis.

Luz em crescendo sobre MATHIAS DE ALBUQUERQUE, *que se barbeia. Um* ESCRIVÃO *a seus pés. Um vulto num instrumento de tortura. Gemidos e coro de moradores, no escuro, sublinham o sermão do* FREI.

FREI. Era o Brasil, antes da chegada dos holandeses, a mais deliciosa, próspera, abundante, e não sei se me adiantarei muito se disser a mais rica de quantas ultramarinhas o Reino de Portugal tem debaixo de sua coroa e cetro.

MATHIAS, *rosto ensaboado, navalha na mão e bandeira rubro-verde servindo-lhe de babador. Um vassalo segura um espelho que o reflete de corpo inteiro. Mais adiante, o* ESCRIVÃO, *pena de pato na mão. Noutro canto, dois soldados garroteiam um prisioneiro louro, que solta um grito lancinante. Soldados adormecidos, fuzis ensarilhados. Tudo sugere um acampamento militar.*

FREI. ... o ouro e a prata era sem número e quase não se estimava; o açúcar, tanto que não havia embarcações para o carregar...

MATHIAS. *(Apontando a navalha para o* ESCRIVÃO.*)* Enderece à Vila de Porto Calvo... Calabar.

FREI. ... o fausto e aparato das casas eram excessivos, porque por mui pobre e miserável era tido o que não tinha seu serviço de prata...

MATHIAS. Não! Capitão Domingos Fernandes Calabar! *(Estala a língua.)* Ponha major.

ESCRIVÃO. *(Anotando.)* Major Calabar, na Vila de Porto Calvo.

FREI. ... as mulheres andavam tão louçãs e tão custosas que não se contentavam com os tafetás, chamalotes, veludos, e outras sedas, senão que arrojavam as finas telas e ricos bordados...

MATHIAS. Arraial do Bom Jesus. Ano da Graça de 1635...

FREI. ... e eram tantas as joias com que se adornavam que pareciam chovidas em suas cabeças.

MATHIAS. Mestre de campo. Mestre de Campo Domingos Fernandes Calabar. Eu, Mathias de Albuquerque, Governador de Pernambuco, muitos avisos vos tenho feito que não vos fieis nesses malditos luteranos e calvinistas. E repito: é a última vez que vos escrevo! Prefiro não considerar as respostas negativas que me destes noutras ocasiões, certo de que aceitareis a mão que ora vos estendo. Até porque não se me apagam da memória as provas da bravura e da lealdade que vós me dedicastes no passado, especialmente na resistência ao invasor holandês, neste mesmo Arraial do Bom Jesus onde me encontro, quando logramos encurralar o inimigo contra o litoral. E, quando voltardes aos serviços d'El Rey, honras e bens vos serão devolvidos, pecados e dívidas vos serão perdoados. *(Encara o torturado como se se dirigisse a Calabar.)* Tendes a minha palavra... coronel.

FREI. Tudo eram delícias...

MATHIAS. Por que é que ele foi pra lá?

FREI. ... e não parecia esta terra senão um retrato do terreal paraíso.

MATHIAS. Por que é que ele foi pra lá?

FREI. Pérolas, rubis... esmeraldas... diamantes...

MATHIAS. Por que é que ele foi pra lá?

Era um mulato alto, pelo ruivo, sarará.
Guerreiro como ele não sei mais se haverá.
Onde punha o olho, punha a bala.
Lia nas estrelas e no vento.
Sabia dos caminhos escondidos,
Só sabidos dos bichos desta terra
De nome esquisito de falar.
Eu lhe dei minha confiança
Em matéria de navios e de guerra
E ainda me pergunto,
Sem resposta pra me dar:
Por que é que ele foi pra lá?
Era um mameluco louco, pelo brabo, pixaim,
Com dois olhos claros de assustar.
Capitão aqui, lá fez-se major.
Levou o seu saber para os flamengos
E nem sei se cobrou o que era de cobrar.
Eu lhe ofereci o meu perdão
Em ouro, engenhos e patente
Se quisesse voltar.

E, afoito, o rebelde, em língua de serpente,
Mandou-me recusar.
Como um bicho esquisito destas terras
Que pensa dum jeito impossível de pensar.
Por que é que ele foi pra lá?
Corte brusco na música religiosa. Primeiros acordes dolentes para uma nova canção. Luz isolando a silhueta de uma mulher, cujos gestos simulam o ato do amor.
FREI. Nesse tempo estava metido com os holandeses um mestiço mui atrevido e perigoso chamado Calabar. Conhecedor de caminhos singulares nesses matos, mangues e várzeas, levou o inimigo por esta terra adentro, rompendo o cerco lusitano, para desgraça e humilhação do comandante Mathias de Albuquerque. Esse Calabar carregava consigo uma mameluca, chamada Bárbara, e andava com ela amancebado.

Plenamente iluminada, BÁRBARA *levanta-se e veste-se, calmamente.*

BÁRBARA *canta* Cala a boca, Bárbara.
Ele sabe dos caminhos
Dessa minha terra.
No meu corpo se escondeu,
Minhas matas percorreu,
Os meus rios,
Os meus braços.
Ele é o meu guerreiro
Nos colchões de terra.
Nas bandeiras, bons lençóis,
Nas trincheiras, quantos ais, ai.
— Cala a boca,
Olha o fogo,
— Cala a boca,
Olha a relva,
— Cala a boca, Bárbara.

— Cala a boca, Bárbara.
Ele sabe dos segredos
Que ninguém ensina:
Onde eu guardo o meu prazer,
Em que pântanos beber
As vazantes,
As correntes.
Nos colchões de ferro
Ele é o meu parceiro,
Nas campanhas, nos currais,
Nas entranhas, quantos ais, ai.
— Cala a boca,
Olha a noite,
— Cala a boca,
Olha o frio,
— Cala a boca, Bárbara.
— Cala a boca, Bárbara.

Terminada a canção, BÁRBARA *encara o público.*

BÁRBARA. Se os senhores quiserem saber por que me apresento assim, de maneira tão extravagante, vão ficar sabendo em seguida, se tiverem a gentileza de me prestar atenção. Não a atenção que costumam prestar aos sábios, aos oradores, aos governantes. Mas a que se presta aos charlatães, aos intrujões e aos bobos de rua.

Um banquete com vinhos, manjares de Holanda e ANNA DE AMSTERDÃ *sobre a mesa. O banquete é uma orgia muda durante a fala do* FREI.

FREI. Com os flamengos, entrou nesta terra de Pernambuco o pecado. Os moradores dela foram-se esquecendo de Deus e deram entrada aos vícios, e sucedeu-lhes o mesmo que aos que viveram no tempo de Noé, que os afogaram as águas do universal dilúvio, e como a Sodoma e Gomorra, que foram abrasadas com fogo dos céus.

Explode um barulho bacanalesco, no qual se sobressai uma estridente gargalhada de ANNA DE AMSTERDÃ. *Na cabeceira da mesa desponta a figura do chefe holandês.*

HOLANDÊS. Ave, Frei Manoel do Salvador. Fico imensamente grato pela sua permanência em Porto Calvo, dando assistência às almas de suas ovelhas. E sua presença nesta ceia só me honra, juro, em nome da Holanda e da Companhia das Índias Ocidentais.

ANNA E CORO. Esperando que o bom colóquio
Seja um prenúncio de paz.

HOLANDÊS. Por favor, não tome minhas palavras por soberba de holandês. Mas o Arraial do Bom Jesus, último foco de resistência portuguesa em Pernambuco, acaba de cair. Mathias de Albuquerque escapou com o rabo entre as pernas... Sem contar a meia dúzia de gatos pingados lá do Sergipe, todo esse litoral, Alagoas, Maranhão, está sob o nosso controle. Por isso, Frei Manoel, é chegada a hora de encararmos o futuro sem ressentimentos.

ANNA E CORO. Nessa terra tão fecunda,
Mandioca, aipim, cará,
Abricó e a própria bunda
Se plantar, com jeito, dá.

HOLANDÊS. A cana, por exemplo. Sem a qual não há razão para nenhum de nós estar aqui. Não são os holandeses que estão queimando os canaviais, mas alguns desesperados compatriotas seus, que Vossa Mercê possivelmente conhece. Ora, isso é mau para os negócios, principalmente para os honestos plantadores portugueses, porque a Companhia das Índias não vai investir seus florins num país que vive pegando fogo.

ANNA E CORO. Nessa guerra sem sentido
Não há nacionalidade.

Só queremos garantido
O direito à propriedade.
HOLANDÊS. Ninguém aqui quer expulsar ninguém. Muito pelo contrário, queremos que o português continue cultivando a cana como só ele sabe, extraindo o retame, o mascavado, o açúcar branco. Nós, da Companhia, entramos com o transporte, as refinarias e a nossa nobre clientela da Europa. Precisamos uns dos outros, somos pulgas do mesmo cachorro. Unidos, enriqueceremos.
ANNA E CORO. E se a lição foi aprendida
A vitória não será vã.
Neste Brasil Holandês
Tem lugar pro português
E pro Banco de Amsterdã.
HOLANDÊS. E só a Holanda pode conseguir tal milagre. Porque unindo os seus Estados protestantes, libertou-se da obediência ao Papa, meu caro Frei, que por interesses menores dividiu o mundo colonial entre Portugal e Espanha. Hoje a Holanda domina os mares. E já não necessita de intermediários para negociar com os demais europeus radicados no Novo Mundo. Portanto, estamos em condições de garantir: liberdade a quem quiser produzir; bons impostos; compradores certos; direito de ir e vir e porte de armas aos senhores de plantação, com a condição desse fogo ser só para fins de conter incendiário e escravo fujão. E o padre até pode rezar a sua missa católica, que eu fecho os olhos. Tudo isso é de vulto, mas eu firmo embaixo e endosso...
ANNA E CORO. Pois o mais importante culto
É o açúcar, que é nosso.
Os moradores aplaudem o discurso com entusiasmo. Um soldado se aproxima do HOLANDÊS *com um cálice.*
HOLANDÊS. Brindemos ao Brasil e à Companhia das Índias Ocidentais!

Os moradores brindam com euforia.
(*Levantando-se.*) Senhor Comandante! Maior agravo e injustiça não se pode fazer aos católicos romanos: o profanar os vasos sagrados nos quais se consagra o sangue de Cristo no sacrifício da missa. Basta essa só injúria para que os moradores não tenham por firme vossa amizade e promessas.

O HOLANDÊS joga fora o vinho, toma o cálice pelo pé e beija-o, depositando-o em seguida na mesa, respeitosamente.

HOLANDÊS. Frei, perdão. Que fique entre nós dois, mas eu mesmo sou católico romano e, se sirvo ao holandês na guerra, é apenas por conveniência. Entenda, se oculto a minha verdadeira religião é para não perder meu cargo. E, se me faço de protestante, é porque ainda me devem muito do meu soldo. Mas assim que me pagarem tudo hei de ir a Roma buscar o perdão do Santo Papa Urbano VIII pela culpa em que caí.

Entra SOUTO, afobado.

SOUTO. Comandante, ele está chegando! Mathias de Albuquerque está a poucas léguas!
FREI. Sua Excelência, o Governador de Pernambuco!
HOLANDÊS. Ex-governador.
SOUTO. Mathias abandonou tudo e vem despencando pro sul, rumo à Bahia.
FREI. Então tem que passar por Porto Calvo.
SOUTO. Evidente! Já está aí!
HOLANDÊS. Pretende atacar?
SOUTO. Acho difícil, senhor. Estão em frangalhos. Apenas alguns soldados desgarrados. Quase que só mulheres, crianças e bois. Vão querer passar por fora, de gatinhas, na surdina da noite...
HOLANDÊS. Você falou em bois?

SOUTO. Ah, sim, bois gordos e suculentos! E carruagens, senhor, carregadas de muita riqueza! *(Para o* FREI:*)* E homens armados até os dentes, índios, negros, peixeiras, canhões... *(Para o* HOLANDÊS:*)* Presa fácil.

HOLANDÊS. Ouro?

SOUTO. E prata.

HOLANDÊS. Mantimentos de boca?

SOUTO. Queijo, batata, salame, cerveja, manteiga e pão.

HOLANDÊS. Eu comando a expedição.

SOUTO. *(Para o* FREI:*)* Frei, diga ao governador que o serviço está feito.

HOLANDÊS. Levo dois destacamentos. É o suficiente, não?

SOUTO. Mais que suficiente. É um luxo! *(Para o* FREI:*)* Dois destacamentos.

HOLANDÊS. Três ficam na cidade para o que der e vier.

SOUTO. Magnífico! E Calabar?

HOLANDÊS. Calabar fica guardando Porto Calvo.

SOUTO. *(Para o* FREI:*)* Mathias de Albuquerque vai gostar de saber disso. *(Para o* HOLANDÊS:*)* Senhor, peço permissão para o acompanhar.

HOLANDÊS. Concedida.

SOUTO. *(Para o* FREI:*)* Frei, não perca tempo. Vá dizer ao governador que Porto Calvo será dele novamente. E, com Porto Calvo, Calabar.

Blackout. Luz em MATHIAS, *que esfrega as mãos.*

MATHIAS. *(Às gargalhadas.)* Um ano de fracassos consecutivos. Perdi Igaraçu, Itamaracá, a Paraíba, meu Arraial do Bom Jesus, me chutaram a bunda em Nazaré, estou sendo enxotado para a Bahia, donde vou ser recambiado para a metrópole, onde me fazem uma devassa. Que carreira! E para me substituir, como se não bastasse, vão mandar um espanhol! *(Subitamente sério.)* E dizer que tudo começou com aquele desertor. E dizer que um mulato pernóstico mudou o curso da História. E dizer que cansei de escrever àquele mulato, só me faltou implorar para que ele voltasse às nossas fileiras, só me faltou lamber o saco daquele mulato. Ofereci-lhe anistia, vencimentos atrasados, honras, mundos e fundos, chamei-o de patriota, chamei-o de general... Mas Deus não permitirá que eu morra sem antes encarar o Calabar! *(Tira o pergaminho do peito.)* E fazê-lo engolir a última resposta que me mandou!

Guitarra portuguesa sublinha a fala de MATHIAS,
que tem o olhar fixo nas próprias mãos.

MATHIAS. Alegria, minhas mãos, alegria,
Que a vingança acaba de acenar
Com a promessa de vosso dia,
Que é a noite de Calabar.
Abri em flor, mãos cerradas
Em punhos de pedra contra o céu.
Mãos de pluma de pato, cansadas
De escrever cartas ao léu.
Mãos de vem-cá sem resposta,
Mãos de ferro, mãos de bosta,
Mãos feitas pro necessário,
Mãos vazias, de repente
Mãos de escravo e de maestro,
Predicado independente
De um sujeito ambicanhestro.
Mãos do vício solitário,
De afagos de segunda mão.
Mãos de seda e de garrote,
Mãos à obra, mãos de bote!
Minhas mãos, fazei justiça
Com as vossas próprias mãos!
Saciai vossa cobiça
Na garganta da traição.

No final da fala, MATHIAS *está sentado à mesa com o* FREI, DIAS *e* CAMARÃO. *Estende a mão e espeta um pedaço de bacalhau.*

MATHIAS. Mas vem cá... esse traidor...

FREI. Calabar?

MATHIAS. Não, não, o outro. O nosso. O que está com eles. Quero dizer, o que nos mandou esse recado...

FREI. Ah, sim, Sebastião do Souto.

MATHIAS. Ele é de plena confiança?

FREI. Bem... É um jovem assaz flutuante, excelência. Já andou conosco, já andou com os flamengos... Mas esta tarde ele me pareceu especialmente sincero e prenhe de civismo.

MATHIAS. Como é que ele se dá com o Calabar?

FREI. Seguia-o como um apóstolo. Mas, agora, acho que o odeia.

MATHIAS. *(Garfo no ar com bacalhau.)* Terra engraçada, esta. Em nenhuma outra parte verás tantos sorrisos. Tantos sorrisos e tantas trapaças. Muito engraçada, esta guerra. Tantas raças, tantos idiomas, mas só se entendem claramente as palavras da traição. *(Leva o bacalhau à boca.)* Magro!

FREI. O quê? Eu?

MATHIAS. O bacalhau... Magro, insosso e mofado! *(Afasta o prato.)*

DIAS. *(Tomando o prato que* MATHIAS *rejeitou.)* Senhor, se me permite... *(Dá uma garfada e continua a falar de boca cheia.)* Esse plano, seja de quem for, me parece seguro. O Holandês vem trazendo duas companhias na bandeja.

FREI. Isso é fato.

CAMARÃO. *(Servindo-se de vinho.)* De minha parte é perfeito. Onde o Holandês pensa que há meia dúzia, tenho duzentos índios. Duzentos índios na emboscada, que morrem cem... *(Dá um gole e continua.)* Estamos aí para isso mesmo — ainda sobram cem para o cerco a Porto Calvo.

FREI. *(Beliscando o prato de* DIAS.*)* Com apenas três companhias em Porto Calvo, Calabar terá que se render às suas tropas, Governador.
DIAS. Isso é fato, Governador.
MATHIAS. Calabar! Calabar! Calabar!
Esfregai-vos, minhas mãos de orgia!
Ejaculai, oh, mãos de estrangular!
Alegria, minhas mãos, é dia
Que é noite de Calabar!
Sublinhando a gargalhada e a fala de MATHIAS, *melosas guitarras portuguesas. A gargalhada confunde-se com soluços.* MATHIAS *canta* Fado Tropical:
Oh, musa do meu fado,
Oh, minha mãe gentil,
Te deixo, consternado,
No primeiro abril.
Mas não sê tão ingrata,
Não esquece quem te amou
E em tua densa mata
Se perdeu e se encontrou.
Ai, esta terra ainda vai cumprir seu ideal,
Ainda vai tornar-se um imenso Portugal.
MATHIAS *(Falando com emoção, guitarras ao fundo.)* Sabe, no fundo eu sou um sentimental. Todos nós herdamos no sangue lusitano uma boa dosagem de lirismo. Além da sífilis, é claro. Mesmo quando as minhas mãos estão ocupadas em torturar, esganar, trucidar, meu coração fecha os olhos e, sinceramente, chora.
Cantando:
Com avencas na caatinga,
Alecrins no canavial,
Licores na moringa,
Um vinho tropical.

E a linda mulata,
Com rendas de Alentejo,
De quem, numa bravata,
Arrebato um beijo.
Ai, esta terra ainda vai cumprir seu ideal,
Ainda vai tornar-se um imenso Portugal.
Recitando:
Meu coração tem um sereno jeito
E as minhas mãos o golpe duro e presto
De tal maneira que, depois de feito,
Desencontrado, eu mesmo me contesto.

Se trago as mãos distantes do meu peito,
É que há distância entre intenção e gesto.
E, se meu coração nas mãos estreito,
Me assombra a súbita impressão de incesto.

Quando me encontro no calor da luta
Ostento a aguda empunhadura à proa,
Mas o meu peito se desabotoa.

E, se a sentença se anuncia, bruta,
Mais que depressa a mão cega executa
Pois que senão o coração perdoa.

No decorrer do soneto, MATHIAS *foi desabotoando as calças e arriando-as. Agora, para a última parte do fado, ele vai-se sentando na latrina ao lado do* HOLANDÊS, *que permanece no escuro.*
Cantando:
Guitarras e sanfonas,
Jasmins, coqueiros, fontes,
Sardinhas, mandioca,
Num suave azulejo.

O rio Amazonas
Que corre trás-os-montes
E, numa pororoca,
Deságua no Tejo.

Ai, esta terra ainda vai cumprir seu ideal,
Ainda vai tornar-se um imenso Portugal.
Ai, esta terra ainda vai cumprir seu ideal,
Ainda vai tornar-se um Império Colonial.

Luz sobre os dois. MATHIAS *usa uma ceroula vermelha com faixa verde. O* HOLANDÊS *empunha uma bandeira branca espetada num bambu. Suas ceroulas são listradas de azul e vermelho.*

HOLANDÊS. Excelência...
MATHIAS. *(Contorcendo-se em cólicas.)* Um momento...
   Mathias caga. Aliviado, solta um longo suspiro.
HOLANDÊS. Sente-se melhor?
MATHIAS. Melhor? Vossa Excelência não faz ideia do que seja...
HOLANDÊS. Bondade sua. Saiba que estou nesta campanha há tanto tempo quanto Vossa Excelência, Governador.
MATHIAS. *(Solidário.)* Também pegou?
HOLANDÊS. Já trouxe das Índias Orientais.
MATHIAS. É. Parece que são terríveis por lá.
HOLANDÊS. A bem da verdade, a minha já é um resultado meio híbrido. Às vezes é a indiana que me ataca. Bem cedinho. A brasileira geralmente investe quando a outra está de recesso. *(Começa a se contorcer.)* Falou no bicho? *(Caga.)*
MATHIAS. *(Olhando no vaso do outro.)* Das boas...
HOLANDÊS. *(Conferindo.)* Costuma ser mais amarelada...
MATHIAS. Tem vários matizes. A minha é um arco-íris.
HOLANDÊS. Que sorte.
MATHIAS. Sorte?

HOLANDÊS. Onde há cor nem tudo está perdido. *(Evocativo.)* Vossa Excelência já esteve na Holanda?//
MATHIAS. Não.
HOLANDÊS. Então não sabe o que é um campo de tulipas ao cair da tarde.
MATHIAS. E Vossa Excelência já viu as amendoeiras em flor? *(O* HOLANDÊS *faz que não com a cabeça.)* Parece um campo de neve! Essa é a imagem de Portugal que eu trago dentro de mim: as amendoeiras em flor! *(Sente uma pontada na barriga.)*
HOLANDÊS. Pensando bem, talvez seja um tanto monótono...
MATHIAS. Sóbrio. Não monótono. Nem de mau gosto.
HOLANDÊS. Está se referindo às tulipas?
MATHIAS. Entenda como quiser. Não quero abusar da minha condição de vencedor, mas acho que Vossa Excelência não está em condições de me contrariar.
HOLANDÊS. Ô, ô, ô, devagar... Seus homens venceram essa batalha, mas a guerra continua.
MATHIAS. Foi uma bela vitória das cores de Portugal.
HOLANDÊS. A serviço da Espanha.
MATHIAS. A serviço de Dom Sebastião!
HOLANDÊS. *(Levantando-se rapidamente.)* Sebastião?
MATHIAS. Dom Sebastião!
HOLANDÊS. Aquele filho da puta... *(Senta-se.)*
MATHIAS. *(Levantando-se, indignado.)* Dom Sebastião, o Desejado? O que não morreu em Alcácer Quibir?
HOLANDÊS. Sei lá da vida dele. Só sei que é Sebastião do Souto.
MATHIAS. Ah, bom. *(Senta-se)* Esse!
HOLANDÊS. Quem diria, com aquela cara, com aquelas mesuras, e de cochicho com aquele padreco que vem a ser outro bom filho duma égua! Canalhas! Corja de traidores!
MATHIAS. Em matéria de traição, vocês não têm muito do que se queixar.
HOLANDÊS. Não estou entendendo.

MATHIAS. Porque não lhe convém. Estou falando de Calabar, já percebeu? C-a-l-a-b-a-r!
HOLANDÊS. Não aceito imposições.
MATHIAS. Aceita sim. E eu imponho que Calabar me seja entregue, mãos e pés atados, como despojo de guerra. Essa é a cláusula um da rendição de Porto Calvo.
HOLANDÊS. Ora, o cerco está apenas começando. E Porto Calvo ainda tem três companhias de soldados.
MATHIAS. Tudo esfomeado.
HOLANDÊS. Estamos habituados a comer qualquer coisa. Porto Calvo tem cachorros, gatos, cada rato deste tamanho...
MATHIAS. *(Enojado.)* Pffffffiiiiiii...
HOLANDÊS. Não é tão ruim assim. Depende do jeito de preparar. Uma ratazana à brasileira, com dendê, farofa, pimentinha...
MATHIAS. Um raminho de coentro...
HOLANDÊS. Taí, não tem nada a ver, coentro. Onde é que já se viu rato com coentro?
MATHIAS. Vossa Excelência pode ser muito bom de cozinha, mas como militar Vossa Excelência é uma compota de merda.
HOLANDÊS. *(Levantando-se.)* Governador! Pensei que tivesse vindo parlamentar com um gentil-homem, mas vejo que me enganei! *(Joga longe a bandeira branca.)*
MATHIAS. Pois bem... Eu queria evitar mais derramamento de sangue, mas Vossa Excelência me obriga a isso. *(Levanta-se.)* Vou ordenar imediatamente o ataque a Porto Calvo...
HOLANDÊS. Um momento... *(Apanha a bandeira.)* Em nome da Companhia das Índias Orientais...
MATHIAS. Que é na verdade quem manda na Holanda, confessa. Vocês não têm um rei, mas uma quadrilha de quitandeiros à testa do Estado e um exército de caixeiros-viajantes.
HOLANDÊS. Ah, foi bom falar nisso. Eu tenho aqui comigo algumas ações da Companhia. Se Vossa Excelência se interessar...

MATHIAS. Como disse?
HOLANDÊS. Cada ação está cotada a 3 mil florins. Eu posso lhe confidenciar que a Companhia pretende investir 2 milhões e meio na conquista do Brasil, sendo que a previsão de retirada é da ordem dos 8 milhões de florins anuais. Logo, fazendo os cálculos rapidamente...
MATHIAS. Vossa Excelência tem noção do que está me propondo?
HOLANDÊS. Perfeitamente. Vossa Excelência estará jogando no par e no ímpar, no vermelho e no preto ao mesmo tempo. Vitorioso na guerra, será um herói com déficit. Em caso de derrota, ficará simplesmente milionário.
MATHIAS. Saiba Vossa Excelência que eu sou um general a serviço da Coroa de Portugal e Castela!
HOLANDÊS. Sim, mas não importa. Somos uma sociedade anônima e não alimentamos preconceito algum.
MATHIAS. Ora, milionário... Vossa Excelência disse... milionário?
HOLANDÊS. Bem, não faz muito tempo a Companhia pagou 75% de dividendos a seus acionistas...
Entra o FREI, carregando folhas de bananeiras.
FREI. Terminaram?
MATHIAS. Humm... Me entrega o traidor e parte com seus oficiais, bandeiras, insígnias e todas as honrarias.
HOLANDÊS. Um momento...
MATHIAS. Trata-se de um ultimatum.
HOLANDÊS. Que merda... Que é que os historiadores vão dizer de mim se eu entrego Calabar?
MATHIAS. Que o entregou a um homem de uma só palavra. A um fidalgo português. As minhas barbas como penhor. (*O* HOLANDÊS *fita* MATHIAS *que, imberbe, logo acrescenta:*) Fica bonito! Um dos meus antepassados fez isso nas Índias... o Afonso.

HOLANDÊS. Ah, bom.
MATHIAS. É difícil estar sempre inventando frases novas. No fim das contas, o passado deve servir pra alguma coisa... E então?
HOLANDÊS. À mercê d'El Rey Dom Felipe de Espanha e Portugal.
MATHIAS. Que que é isso?
HOLANDÊS. Entrego Calabar à mercê d'El Rey. Os senhores enviam o caso do Major Calabar à Espanha onde, de cabeça fria e a distância dos acontecimentos, o rei Dom Felipe saberá ditar a sentença mais justa.
MATHIAS. *(Resmungando.)* À mercê d'El Rey... À mercê d'El Rey... Sabe que isso pode criar um impasse nas nossas negociações?
HOLANDÊS. Não volto atrás.
MATHIAS. Preciso... *(Começa a se contorcer em cólicas.)* cagar.
HOLANDÊS. A História pode esperar.
MATHIAS. *(Olha as próprias fezes.)* Sanguínea... Disenteria sanguínea.
HOLANDÊS. Ah, a *Rood loop!* Temos coisa melhor.
MATHIAS. Melhor? Duvido e faço pouco.
HOLANDÊS. Meus soldados têm uma cegueira noturna que chegam a tostar as pestanas à luz de velas.
MATHIAS. Hemeralopia? Besteira. Já ouviu falar em escorbuto?
HOLANDÊS. Perdão, dois pontos. *Sherbuik*. Até a palavra vem do flamengo. Portanto a primazia é nossa.
MATHIAS. Humm, grandes coisas... Nós temos tripanossomíase.
HOLANDÊS. Esquistossomose.
MATHIAS. Tifo.
HOLANDÊS. Cancro mole.
MATHIAS. Priapismo ortogonal.
HOLANDÊS. Lepra.

MATHIAS. Disenteria bacilar.
HOLANDÊS. Leptospirose icteroemorrágica.
MATHIAS. Turalamia.
HOLANDÊS. Hemiteria.
MATHIAS. Furunculose.
HOLANDÊS. Hemorroidas.
MATHIAS. Não vale. Hemorroidas você já disse.
HOLANDÊS. Disse nada.
MATHIAS. Disse sim.
HOLANDÊS. Para de roubar.
MATHIAS. Você é que tá roubando.
HOLANDÊS. Malária.
MATHIAS. Agora eu não quero mais, pô.

Os dois suspiram exaustos, apoiados um contra o outro.

FREI. Terminaram?
HOLANDÊS. Calabar fica entregue à mercê d'El Rey de Espanha...
MATHIAS. Bem... de acordo.
HOLANDÊS. Terminamos.
MATHIAS. Quando contarem estes desafortunados fatos,
  Falem de mim como eu sou...
HOLANDÊS. Nada acrescentando ou omitindo,
  Nem pondo nenhuma malícia.
MATHIAS. Falem de alguém que sofreu
  Não sabiamente.
HOLANDÊS. ... mas demasiado
  E que, tomado de cólera,
OS DOIS. Jogou o inimigo na desgraça
  E na desgraça ele mesmo mergulhou.

Os dois trocam as folhas secas, cerimoniosamente,
e se limpam.

FREI. Morram as tiranias e viva a liberdade!

Ao toque de caixa, o HOLANDÊS *levanta-se, faz uma banana para o* FREI *e sai. Entram* DIAS, CAMARÃO *e* SOUTO, *arrastando* ANNA *pelos cabelos. Soldados holandeses depositam armas.* MATHIAS *dirige-se ao centro da movimentação. Entram em cena barricas de vinho e outros despojos de guerra. Vivas e morras. Grito estridente de* ANNA, *atirada ao solo por* SOUTO. MATHIAS *bolina* ANNA *com os pés.*

CAMARÃO. *(Garrafa na mão.)* Viva o Papa!
DIAS. Morram os flamengos!
FREI. Viva Dom Felipe, rei de Portugal e Espanha!
MATHIAS. *(Impondo um súbito silêncio.)* Viva El Rey Dom Sebastião de Portugal!
FREI. *(Fazendo o sinal da cruz.)* Que Deus o tenha.
MATHIAS. E que esta vitória sirva de exemplo à nobreza lusitana, aqueles palhaços que aderiram ao jugo de Espanha.
FREI. Excelência...
MATHIAS. O que é?
FREI. Se alguém o ouve falar assim...
MATHIAS. Portugal e Espanha estão unidos pela dinastia dos Felipe, está certo. Mas eu, brasileiro, de sangue nobre português, digo e repito que quem manda no Brasil ainda é Portugal e não a Espanha.
FREI. Cuidado, Governador. As paredes têm ouvidos.
MATHIAS. Pois que ouçam! Estão me ouvindo, paredes? Esta vitória é minha e eu a dedico a quem bem entender. Por que é que vou dedicá-la à Espanha, hein? O Brasil nunca lhes interessou. O Brasil, para eles, é uma cortina de cana para esconder dos holandeses a prata do Peru. Cadê os navios que me prometeram? Cadê as notícias? Os canhões? Os remédios? Nada. Mandam um... um espanhol para me substituir! Merda! E você, que é que tá parado aí com essa cara?
SOUTO. Sebastião do Souto, às suas ordens.
MATHIAS. Ah, sim, já sei, você é o traidor. Parabéns, belo serviço, rapaz. Você tem futuro!

CAMARÃO. *(Brincando).* À saúde do nosso traidor!
FREI. Não. Quem trai a Holanda protestante não trai o Papa.
CAMARÃO. Traidor que trai traidor tem cem anos de louvor.
FREI. Traidor é quem trai a Espanha.
MATHIAS. Traidor é quem trai Portugal, Frei!
FREI. Sutilezas históricas, Excelência.
DIAS. Eu acho que traidor é quem trai o governo. Qualquer governo. Feito o Calabar.
SOUTO. Quanto a Calabar, quais são as suas intenções, Governador?
FREI. Me parece que no partido tratado com o Holandês, Calabar foi entregue à mercê d'El Rey.
MATHIAS. Sutilezas históricas, Frei Manoel.
SOUTO. Esta guerra é um vaivém. Os reforços dos flamengos estão por perto e vamos ter que abandonar Porto Calvo. Calabar é um perigo, não sei não... Se for esperar resposta do rei da Espanha...
MATHIAS. Nesta guerra de Pernambuco, eu ainda represento Dom Felipe de Portugal e Espanha. Portanto, eu decido! Ou não?

Todos concordam ruidosamente.

MATHIAS. Deixa eu falar.
Nem que seja só pelas derrotas que me fez amargar,
Ou pelo açúcar que me fez perder,
Nem que seja injusta a glória
E a glória bagatelas,
Nem que seja só para deixar
O meu nome na História.
Com meus vermes e mazelas,
Eu condeno Calabar.
Por que quem vai querer saber
Que eu tive diarreia,
Saber que uma noite de cólicas agudas

Vale tanto quanto uma epopeia?
Para ser mais do que eu sou
Nestas guerras de Holanda,
Para que Mathias de Albuquerque lembre um nome
Que dói mais do que anda,
Só me resta a esperança de um traidor
Ligado ao meu destino.
Só me resta esperar e até querer
Que tudo fie fino.
E se mando matar Domingos Fernandes Calabar ainda moço
É porque uso o tino,
Uma vez que o tutano
De tão podre não merece um outro osso.
E se vocês rirem de mim,
Se eu for alvo de chacotas e chalaças,
Se for ridículo na jaqueta de veludo
Ou nas ceroulas de brim,
Ou porque falo tanto de caganeira e bacalhau,
É bom pensarem duas vezes, porque, ainda mesmo assim,
Com lombrigas dançando dentro da barriga,
Com a Holanda, a Espanha e toda a intriga,
Eu sou aquele que, custe o que custar,
Acerta o laço e tece o fio
Que enforca Calabar.

MATHIAS. *(Para o* FREI.) Mas antes vá confessá-lo, Frei Manoel, e o encaminhe para que não perca a alma, pois com tanta infâmia já perdeu a vida. (O FREI *vai saindo.*) Um momento, Frei. Antes ou depois da confissão, ou mesmo durante, procure assegurar-se de que ele não carrega para o túmulo alguma informação do interesse geral, que eu represento.

FREI. O segredo da confissão é inviolável, Governador!

MATHIAS. E como tal será respeitado. A Deus, as coisas da alma, ao Estado as informações de guerra. Além do mais, Frei Manoel, a sua piedosa colaboração vai evitar os suplícios de uma dispensável tortura.
FREI. Entendido. *(Sai.)*
MATHIAS. E vocês...
SOUTO. Alferes Sebastião do Souto.
MATHIAS. Mandem preparar o cadafalso. (SOUTO *sai.*) Quero ficar sozinho para meditar... Porque neste Pernambuco eu sou Dom Felipe, rei de Portugal e Algarves, da Espanha, de Nápoles, da Sicília e da Sardenha...
ANNA. *(Acordando.)* E eu sou Anna de Amsterdã. De aquém e de além-mar em África, Cabo Verde, Açores, Angola e Moçambique.
ANNA. Anna da Rua Larga.
MATHIAS. Goa, Damão e Diu; Timor, Ormuz e Macau; Guiné, Madeira, Sumatra, Malaca e Molucas!
ANNA. Anna do beco sem saída.
MÁTHIAS. Maranhão, Paraíba, Piauí.
ANNA. Pepe, Mané, Giovanni, Henri...
MATHIAS. *(Desanimando.)* Porto Calvo, Porto Alegre... Niterói...
    ANNA *canta* Anna de Amsterdã:
Sou Anna do dique e das docas,
Da compra, da venda, das trocas, das pernas,
Dos braços, das bocas, do lixo, dos bichos, das fichas.
Sou Anna das loucas.
Até amanhã
Sou Anna
Da cama, da cana, fulana, sacana,
Sou Anna de Amsterdã.
Eu cruzei um oceano
Na esperança de casar.

Fiz mil bocas pra Solano,
Fui beijada por Gaspar.
Sou Anna de cabo a tenente,
Sou Anna de toda patente das Índias.
Sou Anna do Oriente, Ocidente, acidente, gelada.
Sou Anna, obrigada.
Até amanhã
Sou Anna
Do cabo, do raso, do rabo, dos ratos,
Sou Anna de Amsterdã.

Arrisquei muita braçada
Na esperança de outro mar.
Hoje sou carta marcada,
Hoje sou jogo de azar.

Sou Anna de vinte minutos,
Sou Anna da brasa dos brutos na coxa
Que apaga charutos, sou Anna dos dentes rangendo
E dos olhos enxutos.
Até amanhã
Sou Anna
Das marcas, das macas, das vacas, das pratas,
Sou Anna de Amsterdã

MATHIAS, *que durante a canção ensaiava com* ANNA *alguns passos obscenos, é surpreendido pela chegada do* FREI.

MATHIAS. E então? Esteve com o homem?

FREI. Vi-o pela manhã e lhe disse o que importava para sua salvação e que se preparasse para confessar, visto que hoje teria que dar contas a Deus. E depois o deixei só por uma hora para que ele se aparelhasse como convinha.

MATHIAS. E ele confessou?

FREI. Por três horas. Com muitas lágrimas e compunção de espírito. No meu entender, com muito e verdadeiro arrependimento de seus pecados, segundo o que o juízo humano pode alcançar.

MATHIAS. À merda com o juízo humano. Quero saber se Calabar apontou nomes.

FREI. Bem, fez certos apontamentos de dívidas e obrigações, e de boa quantia que os holandeses lhe devem do seu soldo e de algumas peças de ouro e prata, e alfaias de seda que no Arrecife tem, para que dali se paguem algumas dívidas em que está obrigado.

MATHIAS. Os nomes?

FREI. E me mandou que entregasse esses apontamentos a sua mãe, Ângela Alvres, o que eu pontualmente farei.

MATHIAS. Frei, o que eu quero saber...

FREI. Às três horas da tarde se tornou a reconciliar com as mesmas lágrimas e mostras de arrependimento. Foi quando o ouvidor, na minha presença e na do escrivão, lhe perguntou se sabia que alguns portugueses haviam sido traidores e tratavam com o inimigo secretamente, levando-lhe ou mandando-lhe avisos do que entre nós se fazia. Ao que ele respondeu que muito sabia e tinha visto nessa matéria.

MATHIAS. E deu os nomes?

FREI. Não.

MATHIAS. Como não?

FREI. Disse que de presente não se atrevia a furtar o tempo que lhe restava de vida a ocupar-se a fazer autos e denunciações por mão de escrivão.

MATHIAS. Isso veremos.

FREI. Excelência, cuidado. Segundo o que me disse Calabar, os grandes culpados não estão na arraia-miúda. O que ele me deu licença que lhe contasse são coisas pesadas que eu gostaria de tratar consigo em particular.

Os dois se encaminham para um canto escuro. Os moradores entoam o refrão do Miserere nobis. BÁRBARA *vai-se destacando dos moradores.*

O traidor se chama Calabar.
Outros terão levado segredos,
Outros terão levado propinas,
Mas esses sabem se portar.
Outros terão se sujado as calças,
Outros terão delatado amigos,
Mas esses voltam pra jantar.
Outros irão vender sua terra,
A casa, a cama, a alma, a mãe, os filhos,
O povo, os rios, as árvores e os frutos.
Mas, Calabar, você nunca foi burro.
O traidor se chama Calabar.
Claro, claro, claro, claro.
O melhor traidor é o que se escala,
Corpo pronto para a bala,
Se encurrala, se apunhala
E se espeta numa vala.
Se amarrota e não estala
E cabe dentro da mala,
Se despeja numa vala
E não se fala na sala.

Luz em MATHIAS *e no* FREI.

MATHIAS. Frei, que não se toque mais nas indiscrições desse traidor para não levantar poeira, porque muitos desgostos e trabalhos podem vir daí. Isto já são assuntos de Estado e não da Igreja.

FREI. Certo, Governador.

MATHIAS. Frei Manoel, amanhã não estarei mais aqui. É provável que nunca mais nos vejamos nestas terras. Portanto, antes de partir quero me confessar. *(Ajoelha-se.)* Eu, Mathias, de sangue e nome português, mas brasileiro por nascimento e afeição, às vezes tenho pensado neste meu país.

FREI. Que Deus o perdoe.

MATHIAS. E em meus devaneios, imagino-me colocando o amor à terra em que nasci acima dos interesses do rei que me governa.

FREI. Que Deus o perdoe.

MATHIAS. E nesses devaneios minha terra não suporta mais as trevas e a opressão de Espanha e Portugal. A terra pulsa, blasfema e se debate dentro do meu peito. E para sua redenção, parece que qualquer caminho é legítimo. Até mesmo uma aliança com os hereges holandeses...

FREI. Oh, Excelência! Que Deus...

MATHIAS. Me perdoe. Caso contrário, eu não seria digno de enforcar um homem, brasileiro como eu, mas tão insensato quanto os meus devaneios.

OFICIAL. *(Entrando.)* Excelência.

MATHIAS. *(Levantando-se.)* Hum... Sim... Bem, vamos abandonar Porto Calvo dentro de poucas horas. Que antes se queime tudo o que possa vir a servir ao inimigo e que Calabar seja executado em praça pública, para que sua punição sirva de exemplo. Com baraço e pregão, para que ninguém falte ao espetáculo, e ao som de tambores, para que palavras perniciosas não sejam escutadas. E que Deus e os homens nos perdoem por nossos caminhos se terem cruzado assim.

FREI. Deus certamente perdoa. E a memória dos homens é curta. *(Dá a absolvição em latim.) Ego te absoluum...* etc...

MATHIAS. *(Para o oficial.)* Podem dar início à execução. *(Sai.)*

Subitamente iluminada, BÁRBARA *canta* Tatuagem, *enquanto se ouvem, entremeados na canção, a sentença do* OFICIAL *e o rufar dos tambores. Em claro-escuro, soldados trazem um homem para a execução.*

BÁRBARA. Quero ficar no teu corpo feito tatuagem
   Que é pra te dar coragem
   Pra seguir viagem
   Quando a noite vem.
   E também pra me perpetuar
   Em tua escrava
   Que você peça, esfrega, nega
   Mas não lava.
OFICIAL. ... Que seja morto de morte natural para sempre na
   forca... *(Rufos.)* ... por traidor e aleivoso à sua Pátria e ao
   seu Rei e Senhor ... *(Rufos.)*... e seu corpo esquartejado,
   salgado e jogado aos quatro cantos... *(Rufos.)*
BÁRBARA. Quero brincar no teu corpo feito bailarina
   Que logo te alucina,
   Salta e se ilumina
   Quando a noite vem.
   E nos músculos exaustos
   Do teu braço
   Repousar frouxa, murcha, farta,
   Morta de cansaço.
OFICIAL. ... Para que sirva de exemplo... *(Rufos.)*... e a sua casa
   seja derrubada pedra por pedra e salgado o seu chão para
   que nele não cresçam mais ervas daninhas... *(Rufos.)*...
BÁRBARA. Quero pesar feito cruz nas tuas costas
   Que te retalha em postas,
   Mas no fundo gostas,
   Quando a noite vem.
   Quero ser a cicatriz risonha e corrosiva,
   Marcada a frio,
   A ferro e fogo
   Em carne viva.
OFICIAL. ... E seus bens confiscados e seus descendentes decla-
   rados infames até a quinta geração... *(Rufos.)*... para que
   não perdurem na memória... *(Rufos.)*

BÁRBARA. Coração de mãe, arpões,
 Sereias e serpentes
 Que te rabiscam o corpo todo
 Mas não sentes.
 Último rufar de tambor misturado ao grito lancinante de BÁRBARA.
FREI. *(Fazendo o sinal da cruz.)* Viremos a página e tratemos de nos mirar no exemplo dos grandes heróis da nossa Pátria. *Acordes lentos e solenes do tema* Vence na vida quem diz sim *acompanham a entrada de* SOUTO, DIAS *e* CAMARÃO.
DIAS. O meu nome é Henrique Dias
 E sou capitão do mato.
 Toco fogo nos quilombos,
 Pra catar preto e mulato.
 Ganhei foro de fidalgo,
 Prata, patrimônio e patente.
 Eu tenho uma alma tão branca
 Que já ficou transparente.
FREI. Este sim, um gênio da raça. Trocou um olho por uma medalha e um braço por uma vitória. Negro na cor, porém branco nas obras e no esforço. Tenho até notado que ele está ficando um pouco mais claro.
CAMARÃO. Minha graça é Camarão.
 Em tupi, Poti me chamo.
 Mas do novo Deus cristão
 Fiz minha rede e meu amo.
 Bebo, espirro, mato e esfolo
 No ramerrão desta guerra.
 E se eu morrer não me amolo,
 Que um índio bom nunca berra.
FREI. Vejam bem. Este índio nasceu entre os selvagens tapuias, que são uns analfabetos e antropófagos e hereges e traidores, e é hoje o mais leal soldado que El Rey tem nesta guerra.

Recebeu o título de Dom e o nome batismal de Antônio Felipe Camarão, Cavaleiro do Hábito de Cristo.

SOUTO. Me chamam Sebastião Souto
E algumas coisas mais.
Quando dei por mim, já era
Tarde pra voltar atrás.
Minha história é tão medonha
E de tão repelente memória
Que a História até tem vergonha
De pôr meu nome na História.

FREI. Bem, desse falaremos mais tarde.

Enquanto BÁRBARA *olha fixamente os três heróis,* ANNA *entra e canta a primeira estrofe de* Vence na vida quem diz sim.

ANNA. Vence na vida quem diz sim.
Vence na vida quem diz sim.
Se te dói o corpo,
Diz que sim.
Torcem mais um pouco,
Diz que sim.
Se te dão um soco,
Diz que sim.
Se te deixam louco,
Diz que sim.
Se te babam no cangote,
Mordem o decote,
Se te alisam com o chicote,
Olha bem pra mim.
Vence na vida quem diz sim,
Vence na vida quem diz sim.

DIAS. Eu acabei de chegar. Não vi nada.

CAMARÃO. Do que é que você está falando? Eu também não ouvi nada.

SOUTO. Eu gostaria de poder dizer alguma coisa, mas não sei o quê.
ANNA. Vem Bárbara, eles não podem te ajudar.
DIAS. A guerra tem todos os direitos. É só o que há para dizer.
CAMARÃO. Meus olhos cansaram de ver... Os índios, eles caem de repente. De bala, de gripe, de bebedeira, decapitados, mas é sempre de repente... Como se Deus dissesse: para!
SOUTO. Bárbara...
ANNA. O que é que você quer com ela? Deixa ela em paz.
SOUTO. Eu gostaria de saber o que ela está pensando...
ANNA. O que é que você acha? No macho dela, é claro.
CAMARÃO. O morto...
DIAS. *(Irônico.)* O major holandês.
SOUTO. Calabar...
CAMARÃO. Mas um homem morrer assim, com anúncio de tambor e hora marcada... é sempre desconcertante... Os olhos cansam de ver, mas o estômago não se acostuma.
DIAS. Se morreu assim foi porque merecia.
ANNA. E você não tem medo de morrer assim?
DIAS. Eu não tenho medo de nada.
ANNA. Mas que falta de imaginação!
SOUTO. O que me assusta na morte é que é o único momento em que o homem está verdadeiramente sozinho. É essa solidão é a verdadeira definição do medo.
CAMARÃO. O que me assusta na morte é o cheiro que ela vai trazendo ao corpo. Essa podridão é a definição da carne.
DIAS. Bobagens... O que pode assustar na morte é a própria morte. Mas quando ela chega já não tem definição.
ANNA *canta a segunda estrofe de* Vence na vida quem diz sim:
ANNA. Vence na vida quem diz sim.
Vence na vida quem diz sim.
Se te jogam lama,
Diz que sim.

Pra que tanto drama,
Diz que sim.
Te deitam na cama,
Diz que sim.
Se te criam fama,
Diz que sim.
Se te chamam vagabunda,
Montam na cacunda,
Se te largam moribunda,
Olha bem pra mim.
Vence na vida quem diz sim,
Vence na vida quem diz sim.

Bárbara, vamos embora.
BÁRBARA *parece despertar do torpor em que se encontrava.*
BÁRBARA. Eu conheço você...
DIAS. Meu nome é Henrique Dias, Governador dos Pretos, Crioulos e Mulatos de Pernambuco.
CAMARÃO. Eu sou Dom Antônio Felipe Camarão, Governador e Capitão-mor de Todos os Índios da Costa do Brasil.
BÁRBARA. E você... é Sebastião do Souto... Vocês todos lutaram ao lado dele.
CAMARÃO. Antes...
DIAS. Quando ele lutava ao nosso lado, pela causa certa.
BÁRBARA. Vocês foram amigos...
SOUTO. Fomos.
BÁRBARA. E agora vocês o mataram.
CAMARÃO. Nós?
SOUTO. Nós somos soldados, só isso...
DIAS. Nós não temos nada com essa história, moça. Se tem alguma reclamação, dirija-se ao carrasco, escreva à Sua Majestade, o Rei.

ANNA. *(Irônica.)* Eles não têm nada com isso. A culpa é do rei e do carrasco. Vamos embora, Bárbara...
BÁRBARA. Vocês o traíram! Todos vocês.
DIAS. A guerra tem todos os direitos...
BÁRBARA. Não lhe deram nem a satisfação de morrer na guerra. Ele morreu na forca. Não foi julgado nem nada, não pôde reagir, não teve defesa nem foi condenado. Foi executado e ponto final.
SOUTO. Foi uma cilada. Cilada também faz parte da guerra.
BÁRBARA. Havia um acordo. Todo mundo sabe que foi feito um acordo para a rendição da cidade. Toda a cidade sabe disso!
CAMARÃO. Parece que houve uma contraordem, um desacordo, não sei.
BÁRBARA. O que houve foi um assassinato! Um prisioneiro de guerra morto a sangue-frio! Vocês são soldados e sabem disso muito bem. Tem aí um capitão-mor não sei de quê, um governador das negas dele, mas não tem um homem pra abrir a boca numa hora dessas. Nem digo abrir a boca pra salvar a vida de ninguém. Eu digo abrir a boca pra resguardar a própria dignidade. Não tem um homem nesse exército!
CAMARÃO. É... às vezes acontecem uns excessos... E a gente não pode controlar tudo...
SOUTO. A gente não pode saber as razões de tudo o que acontece...
DIAS. Nem deve. Quem sabe mais do que pode só arranja problemas.
BÁRBARA. *(Após uma pausa.)* O que é que você sabe, Henrique Dias?
DIAS. Eu sei o suficiente.
BÁRBARA. O suficiente para quê?
DIAS. Para não ser um desertor, por exemplo. Eu sei qual é o meu lugar. Sei a quem devo as armas que manejo, os coturnos que calço e tudo o que sou. Eu lutei, matei, perdi um

olho, engoli em seco e, de tanto ser comandado, hoje eu sei o suficiente para poder comandar. E o suficiente para não cuspir no prato em que comi.

BÁRBARA. O suficiente para não se importar de ser negro?

DIAS. Ora, essa. Por que iria me importar de ser negro?

BÁRBARA. Os outros negros são escravos.

DIAS. Pois eu não sou, eu sou chefe. A guerra me libertou e me engrandeceu. Nesta terra, seja preto, índio ou alemão, quem não nasce senhor de engenho é malnascido. Então eu estou aqui para provar que há sempre um lugar ao sol para quem levanta cedo.

BÁRBARA. E um lugar na forca para quem não pensa do mesmo jeito.

DIAS. Escuta, moça. Meus pais foram escravos e eu sofri na carne a chibata e a humilhação. Mas disse que ia vencer e venci. E daqui eu saio pra seguir vencendo, até que não sobre um holandês nesta terra de Deus. E quando a guerra acabar, bem, aí serei um homem respeitado.

BÁRBARA. Senhor de muitos engenhos e com seus próprios escravos.

DIAS. Por que não? A minha dinastia começa comigo mesmo. E lhe garanto uma coisa: filho meu não vai conhecer chibata nem humilhação. Meus filhos vão ser quase iguais aos brancos.

ANNA. Ha-ha-ha-ha-ha-ha...

CAMARÃO. Ele está certo, dona. Sabe, o erro do teu homem foi desrespeitar a lei das coisas. As letras que ele aprendeu, os números, a inteligência, tudo isso foi obra de jesuíta português. Teu homem recebeu a cama feita e mijou em cima.

BÁRBARA. Certo, Dom Camarão. É escusado perguntar por que é que você luta ao lado do branco.

CAMARÃO. De todos os lados é uma guerra de brancos. Mas foi o português quem me deu o uniforme, o mantimento e o Evangelho. E daqui eu saio com ele até o fim da guerra.

BÁRBARA. Eu sei de índios que lutam a luta dos índios. A luta contra os brancos.

CAMARÃO. A luta contra o tempo. Minha raça começou a morrer no dia em que o primeiro civilizado botou o pé nas Américas.

BÁRBARA. Isso dito assim, sem mágoa, nem parece saído da boca dum índio.

CAMARÃO. E quem é que me obriga a falar feito índio? Eu também posso pensar em português, como cristão que sou. Por que é que eu vou pra guerra de azagaia, se posso arranjar um mosquete? E quando for pra morrer, pra que é que vou querer virar lua, pedra, cachoeira, bicho, raio de luz, se posso arranjar uma alma e ficar de conversa com Jesus Cristo até o fim dos dias?

BÁRBARA. Você também é um belo exemplo para o seu povo...

CAMARÃO. Não, acho que não sou. Meu nome não vai entrar nos contos que o índio pai conta pro índio filho, e este pro seu curumim, e deste pro curumim do curumim, até que não vai ter mais curumim nenhum pra escutar esses contos. Não. O meu nome vai ficar nos livros que o branco manda imprimir para sempre.

ANNA *canta a terceira estrofe de* Vence na vida quem diz sim:

ANNA. Vence na vida quem diz sim.
Vence na vida quem diz sim.
Se te cobrem de ouro,
Diz que sim.
Se te mandam embora,
Diz que sim.
Se te puxam o saco,
Diz que sim.
Se te xingam a raça,
Diz que sim.

Se te incham a barriga
De feto e lombriga,
Nem por isso compra a briga,
Olha bem pra mim.
Vence na vida quem diz sim.
Vence na vida quem diz sim...

Agora vamos, Bárbara...
BÁRBARA. E você, Sebastião do Souto?
SOUTO. Eu o quê? Eu vou em frente. O que está feito, está feito.
BÁRBARA. Podia ter sido diferente.
SOUTO. É, podia. Podia Calabar ter suspeitado das minhas manobras. Podia o Holandês ter evitado o confronto. E quem podia estar pendurado ali era eu.
BÁRBARA. Você está arrependido do que fez.
SOUTO. Eu estou sempre arrependido, sem saber por que me arrependo a cada instante. Eu queria não ter dúvidas.
BÁRBARA. Escuta, Sebastião do Souto, eu preciso entender uma coisa. Você não é comandante, não está todo espetado de medalhas, não senta à mesa das autoridades, você é um subalterno. É pouco mais que um menino, tem toda a vida pela frente. Então, me explica. Você que marchou com Calabar, conviveu, compreendeu, imitou Calabar, ouviu os sonhos dele, que motivo o levou a trair Calabar?
SOUTO. Motivo? Motivo, como?
BÁRBARA. Tem que haver um motivo muito forte. Mais que uma recompensa, uma honra ao mérito, uma ambição...
SOUTO. Motivo forte? Eu? Eu não tenho um motivo sequer para estar nesta guerra. Quando eu me dei por gente, já era um praça do exército holandês combatendo na Paraíba. Por que holandês? Não sei. Vai ver que gostei do colorido. E sempre fiz o que vi ser feito, sem perguntar nada. Saques, massacres, emboscadas, sempre achei tudo normal na guerra,

mesmo porque não conheço outra oficina. Achei normal me bandear, com todo um batalhão de flamengos, pro lado dos portugueses, porque os portugueses estavam pagando em dia. Um ano depois, quando o mesmo batalhão desertou de volta pros holandeses, a troco de perdão e de um soldo dobrado, achei normal voltar também. Tornei a mudar outras vezes, por acaso, por carne de sol, por dívida de jogos, por questão de mulher. De repente eu era um sargento português. E achei que seria normal executar 200 índios tapuias porque, sendo aliados dos flamengos, eram hereges. Depois executamos outros 120 índios, batizados, e eu achei muito normal. Combati normalmente sob as ordens de chefes espanhóis, franceses, italianos, polacos, alemães, que também achavam normal lutar pela bandeira que pagasse mais. Falaram em religião, acreditei. Não perguntei nada, mas disseram que era a luta entre Deus e os diabos. Depois desconfiei que se matava e morria pelo comércio do açúcar, do sal, pelo ouro e pela prata, pelo tráfico de escravos de Angola e da Guiné, pelo domínio dos mares, para o transporte da pimenta, da cochonilha, da noz-moscada, do pau-brasil, e aceitei. Achei bem normal que as grandes nações disputassem o mundo entre si, que alianças se fizessem e se desmanchassem, contanto que os florins, os escudos, as libras e as pesetas continuassem dançando nos cofres da nobreza, dos acionistas, dos agiotas, dos grandes soberanos dessas nações. E continuo achando normal que, qualquer que seja o resultado de todas as guerras, no lixo dessas guerras sobrem escravos e miseráveis, gente sem juízo e gente sem princípios, subalternos desleais, como eu, e visionários como ele, na forca.

BÁRBARA. Ah, agora está explicado. Você nunca entendeu a luta de Calabar. Nem podia entender, porque você está louco.

SOUTO. Não, a minha loucura é a lucidez. Louco é quem faz perguntas que não pode responder. Ou porque não sabe a resposta, ou porque o preço da resposta certa é o preço da própria vida. Se tem um louco nesta história, o seu nome é Domingos Fernandes Calabar.
BÁRBARA. Basta! Você está proibido de pronunciar esse nome!
SOUTO. Louco, sim! Calabar era um louco! Porque de uma dúvida ele fez uma certeza!
BÁRBARA. Cala essa boca!
Passam em retirada as tropas de MATHIAS DE ALBUQUERQUE. DIAS *e* CAMARÃO *juntam-se à soldadesca.* SOUTO *vai por último depois de cantar* Eu vou voltar.

Vou voltar
Quando souber acreditar
Que há porquê, no que acreditar.
Então vou estar pronto pra voltar.
Vou provar a dor atroz
Que faz um animal falar
E vou calar.
Orgulhoso, triunfal,
Traído, estropiado, sim
Eu vou voltar.

Vou sangrar
Quando tiver por quem e a quem sangrar.
E, se no céu,
Alguma estrela duvidar
Aquela estrela eu trato de apagar, eu vou voltar
E espalhar
O espanto, o pranto, o luto, o horror
Em cada alqueire
E ver que flor inda é capaz de dar
No banho bruto da tapera

Eu vou voltar.
Vou trazer a flor brejeira
Do sertão em primavera
E uma constelação inteira em meu olhar.
Vou, eu vou te arregalar meus olhos
Cegos de tanta quimera.
Me espera,
Espera,
Eu vou voltar.

BÁRBARA. Estão todos proibidos de pronunciar esse nome! Fora, covardes! Fora!

Amparada por ANNA, BÁRBARA *senta-se e remexe o sangue de Calabar numa bacia.*

ANNA. Bárbara!

BÁRBARA *olha a holandesa, depois desvia o olhar para a bacia.*

ANNA. Foi todo mundo embora... Você não pode ficar aqui sozinha!

BÁRBARA, *mansamente, como que gemendo, entoa lentamente* Cala a boca, Bárbara, *que serve de fundo às palavras de* ANNA.

ANNA. Se eu me lembrasse ainda do que senti, quando perdi pela primeira vez o homem que eu amei, talvez pudesse te dizer alguma coisa... Mas foi há tanto tempo... É triste dizer isso, mas nem tenho mais a certeza da cor dos seus olhos. E, no entanto, eu estremecia de prazer cada vez que ele me olhava... Como estremeço agora, mas é só de safadeza... Puxa, eu nem te conheço direito... Mas talvez seja melhor assim... Senão a gente ia ter que lembrar junto umas coisas que agora você precisa esquecer.

BÁRBARA. Eu não vou esquecer.

ANNA. Ele morreu.

BÁRBARA. Não fala assim.

ANNA. Ele morreu de morte matada, estrebuchou e tudo, as vísceras saindo pela boca...
BÁRBARA. Chega!
ANNA. E quando o nó fechou, o pau ficou duro. É sempre assim.
BÁRBARA. Eles não eram capazes de matar Calabar... Calabar era mais esperto e mais forte que todos esses exércitos juntos... Calabar não se mata assim tão fácil, como um animal qualquer... Eu não deixo!
ANNA. Vamos para casa.
BÁRBARA. Eu não tenho casa.
ANNA. Vem comigo.

BÁRBARA *sacode a cabeça, como se quisesse afastar para longe uma ideia que teimasse em dominá-la. Depois encara a holandesa.*

BÁRBARA. Você é casada?
ANNA. *(Ri.)* Eu, hein? De onde é que você tirou isso?
BÁRBARA. Eu sim. Você ama alguém?
ANNA. Amo. Eu amo quem me paga.
BÁRBARA. Eu amo Calabar.
ANNA. Ora, isso eu já sei.
BÁRBARA. Qual é o seu nome?
ANNA. Xi, eu tenho tantos... Mas pra você eu sou Anna. Só Anna.
BÁRBARA. *(Como se pronunciasse uma palavra estranha.)* Anna...
ANNA. Uma amiga.
BÁRBARA. Uma amiga... Anna, eu vou contar uma coisa só pra você. Sabe, é até bom eles pensarem que mataram Calabar. Esquartejaram Calabar e espalharam por aí os seus pedaços. Mas Calabar não é um monte de sebo, não. Eu sei que Calabar deixou uma ideia derramada na terra. A gente da terra sabe dessa ideia, colhe essa ideia e gosta dela, mesmo que ande com ela escondida, bem guardada, feito

um mingau esquentando por dentro. A ideia é dessa gente. Os que não gostam da ideia, esses vão se coçar, vão fazer pouco dela, vão achar que é um bicho-do-pé. Depois essa ideia maldita vai começar a aperrear e aperrear o pensamento desses senhores, vai acordar esses senhores no meio da noite. Eles vão dizer: que porra de ideia é essa? Eles então vão querer matar a ideia a pau. Vão amarrar a ideia pelos pés e pelas mãos, vão pendurar a ideia num poste, vão querer partir a espinha dessa ideia. Mas nem adianta esquartejar a ideia e espalhar seus pedaços por aí, porque ela é feito cobra-de-vidro. E o povo sabe e jura que a cobra-de-vidro é uma espécie de lagarto, que quando se corta em dois, três, mil pedaços, facilmente se refaz.

BÁRBARA *canta* Cobra-de-vidro:

BÁRBARA. Aos quatro cantos o seu corpo
Partido, banido.
Aos quatro ventos os seus quartos,
Seus cacos de vidro.
O seu veneno incomodando
A tua honra, o teu verão.
Presta atenção!
Presta atenção!
Aos quatro cantos suas tripas,
De graça, de sobra,
Aos quatro ventos os seus quartos,
Seus cacos de cobra,
O seu veneno arruinando
A tua filha, a plantação.
Presta atenção!
Presta atenção!
Aos quatro cantos seus gemidos,
Seu grito medonho,
Aos quatro cantos os seus quartos,

Seus cacos de sonho,
O seu veneno temperando
A tua veia, o teu feijão.
Presta atenção!
Presta atenção!
Presta atenção!
Presta atenção!
Ao som de Cobra-de-vidro, BÁRBARA *dirige-se ao público:*
BÁRBARA. Não posso deixar nesse momento de manifestar um grande desprezo, não sei se pela ingratidão, pela covardia ou pelo fingimento dos mortais.
Intervalo.

Segundo ato

Primeiros acordes do hino holandês. Sobe o pano.

NASSAU. *(Off.)* Tu não morreste em vão.
Eis, talvez, um estranho epitáfio
dirigido a estranha gente
de um estranho continente
de contorno incerto
num mapa de imaginação.
Tu não morreste em vão, repito,
aqui deste meu porto
como um gesto de conforto
a algum estranho herói
de contorno incerto
no porto de um povo de imaginação.
    A luz descobre NASSAU.
NASSAU. Eu, Maurício de Nassau-Siegen, conde holandês da mui nobre casa dos Orange, que tantos reis e guerreiros têm dado ao meu país, embarco neste ano de 1637 a caminho de Pernambuco, em terras do Brasil, como Governador-geral plenipotenciário a serviço e mando da Companhia das Índias Ocidentais, carregado de títulos, armas, ideias e um compromisso tácito com o sangue derramado por desconhecidos.
Eu, Maurício de Nassau,

num tombadilho sombrio,
a bordo de um sonho grandioso,
cambaleando entre as ondas,
entre norte, sul e tempestades,
entre medo e coragem,
entre ansiedade e náuseas,
entre bêbado e sonâmbulo,
entre fidalgo e corsário,
governante e mercenário.
Eu, Maurício simplesmente,
sem nenhuma testemunha e sem Bíblia na mão
e sem porra nenhuma na cabeça,
duvido firmemente,
em nome dos Santos Mártires,
que algum dia
algum homem
n'algum lugar
tenha conhecido morte que não fosse vã.
Mas tu não morreste em vão.
Embora seja mais difícil dizer isso
quanto mais avisto o teu mundo
no horizonte verde e vivo
e a paisagem definida
sem qualquer ressentimento
da tua ferida.
Não, não morreste em vão.
Ou será em vão que rasguei esses trópicos,
será em vão que adivinhei a terra nova,
será em vão que piso a terra nova,
que beijo a terra que beijavas,
e essas palavras serão vãs
de um holandês sem palavra.

NASSAU *beija o solo.* ANNA *puxa o frevo* Não existe pecado
ao sul do equador.
Não existe pecado do lado de baixo do equador.
Vamos fazer um pecado safado debaixo do meu cobertor.
Me deixa ser teu escracho, capacho, teu cacho,
Um riacho de amor,
Quando é lição de esculacho, olhaí, sai debaixo,
Que eu sou professor.
Deixa a tristeza pra lá, vem comer, me jantar
Sarapatel, caruru, tucupi, tacacá.
Vê se me usa, me abusa, lambuza,
Que a tua cafuza não pode esperar.
Deixa a tristeza pra lá, vem comer, me jantar
Sarapatel, caruru, tucupi, tacacá.
Vê se me esgota, me bota na mesa,
Que a tua holandesa não pode esperar.
Não existe pecado do lado de baixo do equador.
Vamos fazer um pecado, safado, debaixo do meu cobertor.
Me deixa ser teu escracho, capacho, teu cacho, diacho,
Um riacho de amor,
Quando é missão de esculacho, olhaí, sai debaixo,
Eu sou embaixador.

A orquestra prossegue com o frevo rasgado. NASSAU *é fortemente aclamado. Acompanha-o um séquito de pintores, astrônomos, naturalistas, médicos etc.*

Os moradores e senhores de engenho portugueses cercam NASSAU.

MORADOR. O que é que o príncipe achou do Brasil?
NASSAU. *Un des plus beaux pays du monde!*
MORADORES. Diz mais alguma coisa! Mais!
NASSAU. *Pas de pareil... sous le soleil!*
MORADORES. É o maior. É poeta! Diz mais!
MORADOR. Suas impressões do Recife...

NASSAU. C'est... c'est... A Veneza brasileira.
CONSULTOR. Não exageremos...
MORADORES. E a mulher brasileira? E a nossa música? E as nossas praias?
NASSAU. Foi para retratar tanta beleza que eu trouxe comigo pintores. E arquitetos para construir palácios. E astrônomos para contar as estrelas. E botânicos para cheirar as matas. E naturalistas para estudar as aves...
PAPAGAIO. Oba!
NASSAU. Qual é o seu nome?
PAPAGAIO. Oba!
NASSAU. Em breve teremos aviários, jardins botânicos e zoológicos, orfanatos, hospitais, o primeiro observatório astronômico e meteorológico do Novo Mundo, que mais... uma universidade...
CONSULTOR. Príncipe, não exageremos...
NASSAU. Como Governador-geral de Pernambuco a minha maior preocupação é fazer felizes os seus moradores. Mesmo porque eles são mais da metade da população do Brasil, e esta região, com a concentração dos seus quase 350 engenhos, domina a produção mundial de açúcar. Além do mais, nesta disputa entre a Holanda, Portugal e Espanha, quero provar que a colonização holandesa é a mais benéfica.
PAPAGAIO. Oba!
NASSAU. Minha intenção é fazê-los felizes... sejam portugueses, holandeses ou da terra, ricos ou pobres, protestantes ou católicos romanos... e até mesmo judeus.
CONSULTOR. Príncipe...
NASSAU. O que importa é que fique bem claro que não estou aqui em nome do Governo holandês, embora a Companhia das Índias me dê poderes para tanto, mas sim representando os interesses de todos os pequenos investidores — sapateiros, alfaiates, ferreiros, agricultores, gente como muitos de vocês

que compraram essas ações com o suor do seu rosto e que constituem a grande maioria dos acionários...
CONSULTOR. Príncipe, assim também já é demais...
NASSAU. Infelizmente, essas guerras incessantes têm arrebentado com a produção, exigindo investimentos cada vez maiores no aparato bélico, e a Companhia das Índias fecha o balanço dos últimos 15 anos com um saldo devedor a seus acionistas da ordem de 18 milhões de florins, o que ao câmbio atual do cruzado... vejamos, o cruzado a 400 réis, quatro vezes oito 32, sobe três... *(Atrapalha-se com os dedos.)*
CONSULTOR. Príncipe, essa explicação me parece descabida. E é notório que os portugueses não entendem de finanças...
NASSAU. É, que se danem os cálculos... o que importa é que, apesar dessas dificuldades, não vim trazer uma política de repressão. Apoiado na unidade das nossas forças armadas, que estão com seu soldo em dia, vim disposto à confraternização e à colaboração mútua. Reduzirei os impostos. Garantirei a portugueses igualdade de direitos com os holandeses. E os moradores e senhores de engenho que, por desgraça de guerra, tiverem perdido suas casas e plantações, têm a minha autorização para reocupá-las.
MORADORES. Já ganhou! Viva!
NASSAU. Vamos ampliar a cidade do Recife e ladrilhar suas ruas. E na Ilha de Antônio Vaz ergueremos uma nova cidade, projetada conforme os mais modernos conceitos de urbanismo, do loteamento ao traçado racional de suas avenidas, desde o embelezamento de seus parques até o escoamento de seus esgotos. E a essa nova e suntuosa cidade permito-me dar o nome de Cidade Maurícia.
MORADORES. Viva ele! Viva! Muito justo!
NASSAU. E para que Recife e Maurícia se unam numa só cidade, darei início à construção de uma ponte magistral sobre o Capibaribe. Pilares de pedra sustentarão esse monumento

que nos unirá a todos solidamente, numa nova era que se inicia. Uma era de paz e desenvolvimento.
MORADORES. Viva! Viva! Queremos paz!
CONSULTOR. Príncipe, tudo isso é muito bonito, mas os portugueses continuam entrincheirados na Bahia, quando não estão nos surpreendendo com sua guerra de emboscadas. É preciso derrotá-los de uma vez por todas!
NASSAU. Calma, calma, cada coisa a seu tempo. *(Para os moradores, retomando a retórica.)* Enfim, eu e os meus conselheiros desejamos ardentemente demonstrar a nossa boa vontade para com os moradores de Pernambuco. Teremos os ouvidos atentos para remediar os males que surgirem. Tragam até nós as vossas aflições, que tudo faremos para abrandá-las. Que todos se pronunciem, sem qualquer constrangimento.
SENHOR DE ENGENHO. Muitos de nós, senhores de engenho, tivemos as nossas máquinas destruídas...
NASSAU. Reconstituiremos tudo.
SENHOR. Não temos dinheiro.
NASSAU. Financiaremos.
CONSULTOR. Com juros, é claro.
SENHOR DE ENGENHO II. Faltam-nos braços para o plantio, para a safra...
NASSAU. Forneceremos quantos escravos forem necessários... *(Para o* CONSULTOR:*)* Mande uma expedição imediatamente à costa da África!
SENHOR II. Mas, Alteza, nós não temos condições...
NASSAU. Debitaremos o custo dos escravos nos livros da Companhia.
CONSULTOR. Por um justo preço. Um bom negócio é aquele em que todos ganham.
NASSAU. Mais alguma coisa?

MORADOR. Alteza, há um problema angustiante por aqui: a falta de mulheres... *(Risos.)* Sim, Alteza, e as poucas de que dispomos já pegaram a doença do país... *(Mais risos.)* E já que Sua Alteza permite que me pronuncie... sem constrangimento... já estão dizendo que o Recife tornou-se a capital, me perdoe, Alteza, a capital... da pederastia!

Os moradores, às gargalhadas e desmunhecando, explodem no frevo Não existe pecado ao sul do equador.

NASSAU. Aqui.

NASSAU *juntou-se, acompanhado do consultor, ao grupo de arquitetos, pintores, astrônomos, e indica imperativamente um ponto no chão.*

NASSAU. Aqui devemos plantar a cabeceira da ponte. De pedra, tudo de pedra e da melhor qualidade. Vinte e cinco pilares no rio vão sustentar a ponte que faz assim... *(Descreve arcos com a mão.)* Assim... assim... até a outra cabeceira do lado de lá, de pedra, é claro.

ENGENHEIRO. Príncipe, não vai ser fácil. Há um grande espaço do rio que é muito fundo e o resto, com a baixa-mar, fica seco. O terreno é arenoso e...

NASSAU *(Vendo entrar o* FREI.*)* Frei Manoel do Salvador, estava esperando mesmo pelo senhor. De muitas das suas qualidades de homem de letras e de suas virtudes me falam os moradores de Pernambuco.

FREI. Bondade, Príncipe, bondade...

NASSAU. Gostaria que o senhor viesse morar no meu palácio. Junto a mim, melhor me poderá falar dos anseios da gente desta terra e melhor poderá se dedicar aos seus estudos de latim.

FREI. Muito lhe agradeço, Alteza, mas não posso. Os moradores necessitam frequentemente dos meus sacramentos e dos meus conselhos, e não seria justo o andarem-lhe todos atravessando a casa e rompendo a sua guarda.

CONSULTOR. Príncipe, seria interessante que pudéssemos contar com a intimidade de alguns portugueses, para que, a troco de alguns favores, fiquemos em dia com as insídias do inimigo.

NASSAU. *(Para o* CONSULTOR:*)* E os mais próprios seriam os padres, pois são eles quem de tudo têm melhor conhecimento... *(Para o* FREI:*) Ad ilustrae figurae fratem Emmanuelem a Salvatore Religiosum ordinis Sancti Paoli de Provincia Portugaliae importancia non habet.* Eu insisto, pois, que aceite o meu convite.

FREI. *(Para o outro lado:)* Que pessoa maravilhosa! O sangue real de onde provém o inclina ao bem... *(Para* NASSAU:*)* Perdão. Mas o Príncipe sabe que eu sou um homem enfermo de corpo, e algumas vezes me será necessário estar despido e outras gemer e chorar e não quero que me entrem por a porta, sem bater, seus criados e familiares e me vejam descomposto no traje, o que me seria mui penoso.

NASSAU. Oh!

FREI. Convém que eu viva fora de sua casa, onde todos notem meu modo de proceder e sejam todos fiscais de minha vida e costumes, porque ainda que eu ande a comer menimos...

NASSAU. Ora, Frei... Por quem sois... *(Para o* CONSULTOR:*)* É o nosso homem... *(Para o* FREI:*)* Pelo menos venha morar dentro das fortificações. Vou mandar construir-lhe uma casa vizinha ao Palácio... *(Para o* ENGENHEIRO:*)* Uma casa com oratório aqui para o Frei Manoel!

FREI. *(Após beijar a mão de* NASSAU.*)* Está restaurada a liberdade de culto no Brasil, graças ao Príncipe Maurício de Nassau!

PAPAGAIO. Oba!

CONSULTOR. Príncipe, e a Bahia?

NASSAU. Ah, sim, o ataque à Bahia... Já chegaram os reforços da Europa?

CONSULTOR. Não...

NASSAU. Pois é, a Companhia precisa saber que atravessamos o Atlântico e não o Rubicão. Escrivão!
ESCRIVÃO. Sim, Príncipe!
NASSAU. Escreva aí. É para a Companhia das Índias Ocidentais. *(Para o* CONSULTOR:*)* Ou você pensa que eu já não teria atacado a Bahia se eles tivessem mandado a armada que me prometeram? Escrivão!
ESCRIVÃO. Sim, Alteza.
NASSAU. Enderece a carta à Companhia das Índias Ocidentais.
ESCRIVÃO. Já está endereçada, Alteza...
NASSAU. *(Para o* CONSULTOR:*)* Pois se eu mal cheguei e já reconquistei Porto Calvo! E desci até Penedo, onde construímos aquele forte... o Forte... qual foi mesmo o nome que você sugeriu, escrivão?
ESCRIVÃO. Forte Maurícia, Alteza.
NASSAU. É, Forte Maurícia... Bastava cruzar o rio São Francisco, descer um pouco mais e dominar a Bahia, não é simples?
CONSULTOR. Sim, Alteza.
NASSAU. Não! Não é simples coisa nenhuma. Esses danados desses portugueses podem ser burros, mas não têm nada de covardes... Os tempos mudaram. Já não se pode apenas chegar, comprar, transportar e revender... Agora é preciso também controlar a produção... Colonizar! É preciso colonizar... Escrivão! Onde diabo se meteu o escrivão?
ESCRIVÃO. Aqui, Alteza, com a carta endereçada à Companhia das Índias Ocidentais.
NASSAU. Não é nada disso. Quero escrever diretamente ao Conselho de Estado... *(Para o* CONSULTOR:*)* Colonos... Entendeu bem. Precisamos de colonos!
ESCRIVÃO. Colonos...
NASSAU. Peço ao Conselho de Estado Holandês que me mande os refugiados de guerra alemães que, desterrados e bens confiscados, se acolhem na Holanda... *(Interrompe-se para admirar a tela de um pintor.)* Que é isso, jovem?

PINTOR. É um quadro futurista, meu Príncipe. Retrata a futura Ponte Maurícia...
NASSAU. Ponte Maurícia? Quem foi que deu esse nome à ponte?
PINTOR. Fui eu, Alteza. Achei que soava bem...
NASSAU. Original...
ESCRIVÃO. Original...
NASSAU. Solicito, pois, que se abram todas as prisões de Amsterdã e se mandem para cá os galés, para que, revolvendo a terra com a enxada, lavem com suor honesto a anterior infâmia e não se tornem molestos à Holanda, mas úteis.
ESCRIVÃO. ... úteis. Ponto.
NASSAU. Maurício de Nassau, abril de 1638, etcétera e tal... *(Dirigindo-se ao* ASTRÔNOMO, *compenetrado em sua luneta:)* Vai chover?

O ASTRÔNOMO, *surpreso, larga a luneta, olha o céu à maneira dos pescadores, estende a mão com a palma para cima.*

ASTRÔNOMO. Acho que não, Príncipe...
NASSAU. Ótimo. Vamos conquistar a Bahia, e assim todo o norte do país será nosso. Cansei de pedir reforços, cansei de esperar. Temos trinta navios, três mil e seiscentos europeus, dez mil ameríndios... e não vai chover. Atacaaaaaaar!
PAPAGAIO. Oba!

Sobe o hino holandês a todo volume, entrecortado por rojões. Aos poucos o hino vai caindo de rotação, desafinando até parar, dando lugar apenas aos rojões e, em seguida, ao silêncio. SOUTO *e* BÁRBARA, *frente a frente, a meia-luz.*

BÁRBARA. Olá.
SOUTO. *(Com um sorriso malicioso.)* Olá.
BÁRBARA. O que... Souto? Sebastião do Souto?
SOUTO. Capitão Souto, por favor.
BÁRBARA. Você aqui no Recife? Ficou maluco?

SOUTO. Maluco da cabeça a prêmio por 1.800 florins, à sua disposição, se quiser me entregar aos amiguinhos da língua enrolada.

BÁRBARA. Você duvida?

SOUTO. Duvido. Se bem que... pelo visto, lhe seria bem-vinda uma pensãozinha de 1.800 florins...

BÁRBARA. Pois olha que tenho feito de tudo na vida. Mas a alcaguete ainda não cheguei não.

SOUTO. Olha, Bárbara, eu vim aqui... Eu não posso ficar muito tempo...

BÁRBARA. Não pode mesmo. O que é que você está esperando?

SOUTO. Que você venha comigo.

BÁRBARA. O quê? *(Ri.)* Acho que não escutei bem.

SOUTO. Eu vim te buscar, Bárbara.

BÁRBARA. Adeus, Sebastião do Souto.

SOUTO. Bárbara, de três anos pra cá, tudo revirou. Você, a sua raça, o seu coração, não tem mais nada a ver com este mundo aqui. Esse Recife, esses palácios... Essas pontes, esses arcos, esse príncipe, isso tudo é um engano. Nós estamos aí fora nas emboscadas, perdendo sangue, ganhando terreno dia a dia. Na Bahia, você precisava ver. Os holandeses chegaram cheios de pompa, cheios dos hinos e das trompas, e nós ali nos buracos. Quando o tatu saiu da toca, eles fizeram meia-volta e estão correndo até hoje. Eu comandei um destacamento, você precisava estar lá pra ver...

BÁRBARA. Então você está de parabéns, Capitão Souto. Vai ganhar tanto engenho quanto o Dias e tanta vida eterna quanto o Camarão.

SOUTO. Sabe, Bárbara, eu lembro sempre daquela nossa conversa, do jeito que você falou tanto das ideias de Calabar... Perdão, eu já posso falar Calabar?

BÁRBARA. Na tua boca, é um nome feio...

SOUTO. Pois hoje eu sou uma outra pessoa.

BÁRBARA. Não diga. Em que fase você está agora?
SOUTO. Lógico, você não precisa me levar a sério. Eu continuo sendo uma pessoa provisória. Mas essa pessoa recentemente resolveu pensar um pouco.
BÁRBARA. Pensar? Você?
SOUTO. E agora eu vejo que o teu Calabar foi um homem e tanto. O azar é que ele não adivinhou onde é que ia parar a merda do sonho dele, coitado...
BÁRBARA. Já chega, rapaz.
SOUTO. Coitado mesmo. Eu lembro que quando ele entrava nesse sertão, o sertão virava de cabeça pra baixo. Os padres trancavam as igrejas, as donzelas cobriam o rosto e os usineiros portugueses gritavam "ai, Jesus". Afinal, era Calabar, o demônio em pessoa, o demônio sarará. Um brasileiro, porra, um nativo! Um brasileiro guiando o exército da Holanda, que era um país muito distante, habitado só por pecadores, e onde — diziam — vigorava a justiça do homem. Segundo essa justiça — diziam — o homem valia pelo seu trabalho e não por capricho dos deuses, do rei, do papa. Pois bem, Calabar morreu e o holandês se instalou aqui. Mas essa tal justiça, o holandês esqueceu numa prateleira lá em cima do equador. Trouxeram um príncipe que, infelizmente, com esse sol de Pernambuco na tampa da cabeça, variou de vez. E agora, adivinha quem está lá no banquete do príncipe? O padre, a donzela e o usineiro português.
BÁRBARA. Muito interessante essa tua fase revolucionária, Souto. Quer dizer que você e seus comandantes vêm aí para libertar meu povo? Assim sendo, fico calada. Só acho uma pena que agora há pouco estava aqui uma pessoa que poderia discordar de você. Essa pessoa talvez desconfiasse dessa tua fala bonita. Mas essa pessoa, você e seus comandantes enforcaram.

SOUTO. Coitado do Calabar... É, ele não podia adivinhar o que seria feito da sua gente. Ele não imaginou que fim iria levar sua própria mulher. Ela arrebentada, jogada pelos cantos, parecendo uma puta...

BÁRBARA. Parecendo uma puta, não! Puta! Mas não te invejo não, seu verme! Não sou capacho de galego, não! Não sou escrava de ninguém! Larga o meu braço! Você está me machucando!

SOUTO. Bárbara...

BÁRBARA. Sai, dá o fora, me deixa em paz! *(Ajeita o cabelo.)* Eu estou de serviço e você tá me empatando...

SOUTO. *(Tentando acariciá-la.)* Tem encontro com holandês, é? Que luxo! E o que é que holandês te faz de bom, hein? Holandês te leva pra passear no Jardim Botânico, é?

BÁRBARA. Vai, Souto, vai...

SOUTO. Vamos, Bárbara. O teu mundo é aquele lá, lembra? É um mundo sujo, triste, feio, mas é o teu mundo, lembra? Deitada no mato, os canaviais crepitando, o suor no sovaco, as picadas de muriçoca... Você já deve estar sentindo falta, não tá, não?

Introdução musical para Você vai me seguir.

BÁRBARA. *(Às gargalhadas.)* Verme! Capacho de galego! Puxa-saco de espanhol! Vaquinha de presépio!

SOUTO *canta* Você vai me seguir:

Você vai me seguir
Aonde quer que eu vá.
Você vai me servir,
Você vai se abaixar.
Você vai resistir,
Mas vai se acostumar.
Você vai me agredir,
Você vai me adorar,
Você vem me pedir,

Você vai se gastar.
E vem me seduzir
Me possuir, me infernizar.
Você vai me trair,
Você vem me beijar,
Você vai me cegar
E eu vou consentir.
Você vai conseguir
Enfim me apunhalar.
Você vai me velar,
Chorar, vai me cobrir
E me ninar, me nina, me nina, menina.

Terminada a canção, SOUTO *agarra* BÁRBARA *para beijá-la.*

BÁRBARA. Muito bem, homem, são dois florins.
SOUTO. Dois florins, o quê?
BÁRBARA. São dois florins e o teu turno já está acabando.
SOUTO. Deixa de bobagem, Bárbara...
BÁRBARA. Bobagem? É o meu sustento, porra! Dois florins na mão, deita comigo e trabalha rapidinho, por favor. *(Começa a se despir mecanicamente.)*
SOUTO. Bárbara...
BÁRBARA *(Gritando, autoritária.)* É já! É já! Dois florins! *(Assustado,* SOUTO *dá-lhe o dinheiro e* BÁRBARA, *imediatamente, deita-se no chão, abre as pernas e começa a gemer.)* Ai, meu bem, que coisa boa! Vem com a tua neguinha, vem. Ai, não, amor, assim você me faz dodói.
SOUTO. *(Perplexo, parado de pé.)* Bárbara...
BÁRBARA. *(Esperneando).* Oh, queridinho, como você é ardente, tão musculoso, acho que você é a paixão da minha vida! Ai, danadinho, o que é isso que você tá fazendo? Ai, que bom, que bom, que bom, que bom e que bom.
SOUTO. *(Sempre de pé.)* Olha, Bárbara, vou te contar. É importante... Pela primeira vez na vida eu tenho um motivo

muito forte. Ouviu? Eu tenho um motivo muito forte pra te levar comigo...

BÁRBARA. Vai me tirar da vida, vai? Ah, meu coronel! Mas vê se goza logo, tá benzinho?

SOUTO. É o seguinte, Bárbara. Eu tenho quarenta soldados dispostos a tocar fogo nesse Pernambuco. Não vai sobrar um pé de cana pra contar a história. Só que... Acontece que nós estamos avançando numa área que... Enfim, por onde Calabar foi, nós estamos voltando. Por umas várzeas onde ele andou muito... E você com ele. Quer dizer, você conhece aquilo melhor do que eu, melhor do que todos nós...

BÁRBARA. *(Levantando-se e recompondo-se num salto.)* Agora chega! Eu já fiz minha parte e o teu tempo esgotou.

SOUTO. Bárbara, nós precisamos de você. E você... você também precisa. Você não pode ficar entrevada aqui desse jeito, você não tem o direito de se estragar assim. Se é pra ficar com os holandeses, se é isso o que você acha que Calabar queria, então pelo menos cobre o que você merece. Dois florins... Tinha que estar morando num castelo todo seu, em Amsterdã ou no raio que a parta!

BÁRBARA. "Você vai me seguir, você vai me seguir..." Você devia era ter dito logo pra que é que me queria. Não perdia o meu tempo e talvez eu nem lhe cobrasse os dois florins.

SOUTO. Olha... *(Pausa.)* É claro que não era só por isso... Eu queria que você viesse comigo, Bárbara, porque você é uma mulher forte, uma companheira... uma mulher muito bonita, muito bonita, mesmo...

BÁRBARA. Podre. Toda arrebentada e jogada pelos cantos.

SOUTO. Eu estava brincando, Bárbara. Eu estava com raiva.

BÁRBARA. Teu tempo acabou, Sebastião do Souto.

SOUTO. Mais dois florins. *(Põe-lhe o dinheiro na mão e abraça-a.)* Tenho direito a outra. Nessa eu estava distraído...

BÁRBARA. Acabou. Souto. Leva o teu dinheiro.

SOUTO. Shhh, nada disso. Profissional, certo? Profissional...
BÁRBARA. *(Desabotoando-se, enfastiada.)* No fundo, você só está pensando nele. Deve ser um remorso desgraçado, pra pensar nele o dia inteiro, depois de tanto tempo...
SOUTO. *(Beijando-a.)* Eu tenho sonhado muito com você.
BÁRBARA. Nem deve dormir, de tanto que pensa nele. Porque sempre teve paixão por ele. Se pudesse, dormia com ele... Depois deu aquela inveja, aquele ódio, e agora...
SOUTO. Eu te desejo, Bárbara.
BÁRBARA. Eu não te desejo, Sebastião do Souto.
SOUTO. Fica quieta, Bárbara. Fecha os olhos. Pensa nele, Bárbara, pensa nele. Se quiser, pode gritar pelo nome dele...
BÁRBARA. Não adianta, Souto. Calabar, não sei... Ele tinha uma luz que você nunca vai ter.
SOUTO. Mulher não segue homem por causa de luz porra nenhuma. A mulher segue o homem é pelo cheiro.
BÁRBARA. Sabe duma coisa, Sebastião do Souto? Você pode rastejar no mangue que um dia ele pisou. Você pode se esfregar com o estrume da terra que ele pisou. Você pode até usar a farda que um dia ele lhe emprestou. Mas eu não reconheço em você o cheiro de Calabar.

BÁRBARA *canta* Tira as mãos de mim:

Ele era mil
Tu és nenhum
Na guerra és vil
Na cama és mocho.
Tira as mãos de mim
Põe as mãos em mim
E vê se o fogo dele
Guardado em mim
Te incendeia um pouco.
Éramos nós
Estreitos nós

Enquanto tu
És laço frouxo.
Tira as mãos de mim
Põe as mãos em mim
E vê se a febre dele
Guardada em mim
Te contagia um pouco.

Blackout. Luz no FREI. *Uma grande mesa serve para pousar os paramentos, o Evangelho e o cálice. Os* MORADORES *acompanham a cerimônia.*

FREI. Ouvi. Ouvi. Ouvi e estai atentos. Real, Real, por o Senhor Dom João IV, rei de Portugal.

MORADORES. Real, Real, Real viva Dom João IV, rei de Portugal.

FREI. Meus irmãos. Agradeçamos mais uma vez à Divina Providência, pois foi por sua intercessão que se restaurou o trono de Portugal. *Oremus*. Finalmente, após 60 anos de jugo espanhol, Portugal é novamente um país soberano. *Deo Gratias*.

MORADORES. Amém.

FREI *ergue o cálice e murmura uma oração incompreensível.*
NASSAU *interrompe a cerimônia, aproximando do vaso sagrado uma taça de vinho.*

NASSAU. *(Eufórico.)* Brindemos juntos à Restauração. Viva Dom João IV, rei de Portugal.

FREI. *(Sem jeito, com seu cálice sagrado.)* Viva... Dom João IV, rei de Portugal.

MORADORES. *(Indecisos.)* Viva... Amém...

NASSAU. Mais forte, vamos! Viva Dom João IV, rei de Portugal!

MORADORES. Viva!

NASSAU. Bebamos todos! Este é um brinde comum a todos nós, holandeses, portugueses e gente da terra.

Entram holandeses com garrafas de vinho que vão sendo distribuídas entre os MORADORES.

FREI. *(Encabulado e assustado com a balbúrdia que se inicia.)* É que... Alteza, estávamos celebrando a Santa Missa. De ação de graças, mas santa.

NASSAU. Oh, perdão, Frei. *(Para os* MORADORES:*)* Não considerem minha presença nesta cerimônia católica romana como uma intromissão profana, mas sim como uma comunhão com todos os moradores do Brasil. *(Serve-se de vinho.)* Viva Dom João IV, rei de Portugal!

MORADORES. Viva!

Os holandeses descobrem as cabeças, levantam-se e viram seus copos de vinho num só gole. Os MORADORES, *que bebem vinho no gargalo, observam esse ritual com curiosidade e acham graça. Alguns, mais à vontade, aproximam-se e sentam-se à mesa com os holandeses.*

NASSAU. A guerra entre Portugal e Holanda, na verdade, nunca existiu. Durante todos estes longos anos de desentendimento, tivemos um inimigo comum: a ávida Castela dos Felipes, que não contente em dominar Portugal e explorar em proveito próprio a imensa riqueza dos seus territórios ultramarinos, pretendia usurpar o trono da Holanda para saciar os seus desígnios expansionistas. Com essa finalidade, forjou entre nós esta absurda guerra colonial. Mas a recém-Independência de Portugal vem marcar o princípio de uma nova era.

Os holandeses repetem seu ritual de virar os copos, no que são imitados por alguns moradores. Ao fundo, ANNA *ri, bebe muito e obriga* BÁRBARA *a beber.*

NASSAU. A trégua entre Portugal e a Holanda acaba de ser assinada na metrópole. Assim, aqueles que por um falso conceito de patriotismo, confundindo os interesses portugueses com os de Espanha, ainda não tinham aceitado a paz holandesa no Brasil — devastando plantações e engenhos, numa inglória luta de emboscadas — perdem definitivamente o direito e a motivação para continuar esta guerra, sem outro sentido que o de prejudicar o objetivo comum: o de um Brasil rico e próspero, com lugar para todos nós. Viva Dom João IV, legítimo rei de Portugal!

TODOS. Viva!

UM HOLANDÊS. Viva o Príncipe Maurício de Nassau!

TODOS. Viva!

FREI. A paz está oficialmente selada entre as nossas nações. Que Deus, Todo-Poderoso, seja louvado em sua imensa sabedoria.

Todos se levantam, entornam e sentam-se, muitos visivelmente alcoolizados.

NASSAU. Pretendo festejar esta data com acontecimentos que ligarão a noite com o dia e jamais se perderão na memória do povo. Ao povo, todos os licores e manjares que o fígado permitir! E teatros, quadrilhas, cavalhadas. Finalmente, prometo nestes dias de festa inaugurar a tão ansiada ponte que unirá o Recife à Cidade Maurícia...

Grande algazarra, gargalhadas, interrompendo NASSAU.

NASSAU. O que há?

FREI. *(Contendo o riso.)* Perdoe, Alteza, é brincadeira do povo. Eles não têm muita fé nessa ponte... Dizem que é mais fácil um boi voar...

NASSAU. Ah, sim? Um boi voar? Ha, ha, ha! Pois terão as duas coisas: a Ponte e o Boi! Viva Dom João IV, rei de Portugal!

Todos levantam-se, bebem. A orgia prossegue. NASSAU *afasta-se em direção à ponte e dá ordens ao* ENGENHEIRO.

NASSAU. Vão concluir esta maldita ponte e é pra já. Com dinheiro do meu bolso! *(Para o* CONSULTOR:*)* Como é?

CONSULTOR. Bem, Alteza, a trégua entre Portugal e Holanda já foi assinada, mas só entrou em vigor para a metrópole. As colônias devem esperar pela ratificação.

NASSAU. Quanto tempo?

CONSULTOR. Alguns meses... O que nos dá o tempo necessário para que certas medidas possam ser tomadas.

NASSAU. Fale.
CONSULTOR. Não quero ser indelicado. Mas a Companhia está se ressentindo de algumas atitudes de sua Alteza. Tanto no plano político como no administrativo. Seria este o momento ideal para pescar em águas turvas e clarear a sua posição.
NASSAU. Você está sugerindo...
CONSULTOR. Que as nossas autoridades veriam com bons olhos algumas conquistas aos portugueses, enquanto é tempo.
NASSAU. Muito bem. Enquanto não ratificam o tratado, estamos oficialmente em estado de guerra aqui. Envie imediatamente forças para dominar o Maranhão, Sergipe e Chile... De posse do Chile, conquistaremos mi Buenos Ayres querido, de onde podemos avançar incontinenti sobre as minas de prata da Bolívia. Será o início da conquista da América espanhola.
CONSULTOR. Maravilhoso! Com sua permissão...

Vai para sair...

NASSAU. Espere. Mande também uma armada para a Angola portuguesa. Necessitamos de mais escravos.
CONSULTOR. Para as plantações.
NASSAU. E para ampliar a Cidade Maurícia. Novas pontes...
CONSULTOR. Príncipe... Essas pontes não são rentáveis para a Holanda.
NASSAU. Faça o que eu lhe disse. Por enquanto, ainda sou eu quem manda. Estou pronto pra tudo, mas quero gravar a meu modo o meu nome na história: Maurício de Nassau-Siegen, conquistador e humanista. *Fifty, fifty!*

O CONSULTOR sai. NASSAU dirige-se para a ponte.

NASSAU. Está pronta?
ENGENHEIRO. Provisoriamente, Alteza. Não está lá essas coisas... faltou pedra. Emendamos umas "taubas"...
NASSAU. Mas já dá para atravessar?
ENGENHEIRO. Sim, Alteza.

NASSAU. Então, é ponte. Espera. Grava a divisa de Maurício de Nassau na pedra da cabeceira com as palavras *"Qua patet orbis"*, vasta como o universo. Gostou, Oba?

PAPAGAIO. Oba!

Os MORADORES *se aproximam da ponte, desconfiados, entusiasmados ou simplesmente bêbados.*

NASSAU. Moradores do Recife, preparai os olhos para dois espetáculos impossíveis. A ponte que os leva a Maurícia e o boi que voa.

MORADORES. Viva o flamengo!

Súbito a orquestra ataca a marchinha Boi voador não pode. *Surge um imenso boi sobrevoando o palco e a plateia. Os* MORADORES *e os holandeses, espantados e maravilhados, correm, pulam, riem, bebem, dançam e cantam.*

NASSAU *e coro (cantando):*

Quem foi que foi
Que falou no boi voador?
Manda prender esse boi,
Seja esse boi o que for. *(bis)*
O boi ainda dá bode.
Qualé a do boi que revoa?
Boi realmente não pode
Voar à toa.
É fora, é fora, é fora,
É fora da lei,
Tá fora do ar,
É fora, é fora, é fora,
Segura esse boi.
Proibido voar.

CONSULTOR. Alteza. Devo insistir que lá na metrópole se comenta muito essa ponte...

NASSAU. Ouviste, ponte? Já representas a imagem do Brasil no exterior!

CONSULTOR. Imagem discutível, Príncipe. A obra já superou duas vezes o orçamento, sem contar que, em acidentes de trabalho, já morreram cinco vezes mais operários do que o previsto. A Companhia está melindrada, Alteza, sobretudo porque não foi sequer consultada para essa construção.
NASSAU. Mas olhe bem e diga. É ponte para calvinista nenhum botar defeito.
FREI. Ah, isso eu não sei...
NASSAU. Frei Manoel! Não se esqueça de que continuo calvinista convicto.
CONSULTOR. Talvez não o suficiente.
NASSAU. Como disse?
CONSULTOR. Pelo menos há na Holanda calvinistas bem mais ferrenhos que não veem com bons olhos certas liberalidades que andam acontecendo por aqui... *(Para o FREI:)* Certas intimidades...
FREI. O povo desta terra é católico romano e mui sábio é o Príncipe Maurício em permitir que se lhes pregue o Evangelho.
CONSULTOR. Mas em Amsterdã há quem encare qualquer tolerância com o Papado como um conchavo com a Grande Meretriz da Babilônia.
FREI. Senhor!
NASSAU. E que mais dizem?
CONSULTOR. Tantas outras coisas. Souberam com escândalo que aqui se dá liberdade aos judeus como em nenhuma outra parte do mundo. E que, aproveitando-se disso, os cristãos-novos que fugiram da Inquisição na Europa aqui se circuncidam em praça pública, ufanando-se de se declararem novamente judeus.
FREI. Isso é realmente deplorável.
CONSULTOR. Estranho que um português deplore isso. Dizem os espanhóis que o português nasceu da ventosidade de um judeu.

FREI. Ventosidade?
CONSULTOR. Peido!
NASSAU. Um momento! Não se esqueça que o Frei Manoel é hóspede meu.
CONSULTOR. Comenta-se também o fracasso da expedição à Bahia...
NASSAU. Bonito... Queriam que eu conquistasse a Bahia com o quê?... Meia dúzia de barcos metendo água, uns índios bêbados, mercenários com o soldo atrasado e mosquetes enferrujados?... É muito fácil criticar, comodamente instalado numa poltrona, de barriga cheia, arrotando arenque e bebendo genebra... Não, eu fiz o que devia ser feito. Adiei a trégua tanto quanto nos foi útil. Agora as fronteiras brasileiras estão traçadas e a paz é nossa aliada. Mas espera um pouco... Afinal de contas, você está aqui ou lá?
CONSULTOR. Um pé em cada continente. O que me deixa numa posição delicada... vulnerável.
NASSAU. Pois ponha de vez os pés neste chão e veja o que estamos realizando, mesmo sem auxílio de lá. As novas ruas, os arcos do Recife, o Jardim Botânico... A Companhia não sabe que efetuamos, com sucesso, pela primeira vez na História, um transplante de coqueiro. Sabe?
CONSULTOR. Não, senhor. E não lhe interessa.
NASSAU. Como também não lhe interessa saber que, por falta de víveres, até os ratos morrem de fome nos nossos armazéns. Mas não importa. Diga ao Conselho de Estado que o céu aqui é diferente. Não tem a estrela Polar, mas nosso observatório já se familiarizou com uma cruz de cinco estrelas que lá não tem... Escrivão! Não diga à Companhia das Índias que ela se esqueceu da remessa e que estamos há três meses sem comer carne. Diga apenas que Maurício de Nassau introduziu a cultura do fumo, da mandioca e de outras plantas que não adianta citar porque eles não conhecem mesmo. Diga que

há algo mais do que cana para se colher. Escrivão! Diga à Companhia das Índias Ocidentais que a monocultura é um atraso de vida!

ESCRIVÃO. Sim, senhor.

NASSAU. Que mais? Conte que o povo de Pernambuco, que tem em Santo Antônio o seu santo de maior devoção, já estima tanto seu príncipe que Maurício de Nassau é conhecido vulgarmente como Príncipe Santo Antônio! Não, é melhor não dizer isso.

ESCRIVÃO. Não.

CONSULTOR. Melhor não.

NASSAU. Mas diga que a cada dia nasce uma nova obra de arte, decifra-se o mistério de uma ciência, descobre-se algo...

MÉDICO. *(Entrando, às pressas.)* Alteza! Alteza!

NASSAU. O que foi que descobriste hoje, doutor?

MÉDICO. A cura da gonorreia.

CONSULTOR. Ah, isso é magnífico.

NASSAU. Gostou, hein? Não lhe disse? *(Para o* MÉDICO.*)* Qual é a fórmula?

MÉDICO. Simples, meu Príncipe. Mastigando-se frequentemente a cana e engolindo-se o suco, sem nenhum outro medicamento, fica-se curado em oito dias.

CONSULTOR *toma um maço de cana das mãos do* MÉDICO, NASSAU *toma outro, põem na boca e começam a mastigar. O* MÉDICO *oferece ao* FREI *que, discreta e maliciosamente, recusa.*

NASSAU. *(Mastigando.)* Notável... Que seria de nós sem a cana-de-açúcar?

CONSULTOR. *(Mastigando.)* Príncipe, sem querer ser desmancha-prazeres, devo lembrar-lhe que sua administração está altamente deficitária...

NASSAU. *(Mastigando.)* Nunca se produziu tanto em Pernambuco como agora. É por acaso culpa minha se o açúcar francês e inglês das Antilhas fez cair as cotações da Bolsa?

CONSULTOR. *(Mastigando.)* Os dividendos da Companhia estão baixando a olhos vistos. Isso gera descontentamentos perigosos na Holanda...

NASSAU. *(Mastigando.)* E você sugere...

CONSULTOR. Que se recuperem os investimentos e os empréstimos concedidos aos senhores de engenho.

NASSAU. Mas eles estão pagando juros sobre juros. Estão endividados até a alma.

FREI. Isso é muito grave.

CONSULTOR. Não há alternativas, Príncipe. Quem não puder pagar suas dívidas será devidamente desapropriado pela Companhia das Índias Ocidentais.

FREI. O que pode acontecer é os senhores de engenho, portugueses, que até hoje têm sido simpáticos à Holanda, pegarem em armas contra nós.

CONSULTOR. Príncipe, em tempos de crise, não há como contentar colonizados e colonizadores. Portanto, as hipotecas devem ser executadas e os bens confiscados.

NASSAU. Amém, digo, *allea jacta est*.

  Blackout. SOUTO *bate na porta de* BÁRBARA.

SOUTO. Bárbara... Bárbara! Abre essa porta, Bárbara...

BÁRBARA. *(Entreabrindo a porta.)* Sebastião...

SOUTO. Você... está sozinha?

BÁRBARA. Eu estava dormindo... Entra.

SOUTO. É só por um dia... Amanhã à noite eu sigo viagem.

BÁRBARA. Você não pode parar quieto um tantinho? Vai seguir viagem para onde?

SOUTO. Não sei, ainda não sei, amanhã penso nisso... Eu estou cansado...

BÁRBARA. Vamos, deita aí... Tira as botas... Sabe, fica até ridículo... Não é carnaval, nem nada, e você aqui no Recife vestido de expedicionário... *(Ri.)*

SOUTO. Não faz barulho, mulher... Assim você acorda todo mundo!

BÁRBARA. Chega de cena, Sebastião! A guerra acabou, Sebastião!

SOUTO. Acabou, é? Sei. E, de repente, inventaram a paz. Uma pombinha branca e virgem num céu de veludo. Eu esgano essa pomba! Eu trucido ela! A minha guerra não acabou porra nenhuma!

SOUTO. E qual é a guerra que tem sentido? A de Calabar, você vai dizer... Não, não diga não, que eu não aguento mais. Calabar servia ao holandês, por isso foi enforcado pelo português. Eu servi ao português, por isso sou caçado pelo holandês. Agora que os exércitos holandês e português estão de mãos dadas e casamento marcado, como é que nós ficamos, hein? Ficamos mal com todos, seremos sempre malditos. Olha, se Calabar estivesse vivo, marcharia comigo, não sei pra onde, mas marcharia. Formaria comigo o exército dos trouxas, o exército dos traídos, o exército dos cornos de guerra. E gritaria comigo: a paz é falsa!

BÁRBARA. Por mais que se esforce, você ainda não compreendeu o Calabar. Calabar não marcharia contigo, Sebastião, porque ele dava um sentido à guerra. Calabar lutava pra vencer, entende? Você gosta de caminhar para a morte.

SOUTO. Mas então me diga o que é que eu faço, Bárbara. O que é que Calabar faria no meu lugar, hein? Eu estou sem comando. Ordens superiores me negaram munição e me levaram meus quarenta soldados. Com tanto canavial pedindo para pegar fogo... E sabe por que, Bárbara? Não é por causa da paz, não senhora. É porque os senhores desses canaviais, os fidalgos portugueses que estavam tão bem com a Holanda e a Companhia do Caralho, esses fidalgos estão endividados e voltaram a se alinhar com os portugueses. E já começaram a conspirar, junto com o exército português. E, assim que a metrópole der o sinal, recomeça tudo outra vez, a guerra deles. Aí voltarão a cavalo os nossos heróis, os nossos patriotas, pra devolver a nossa Pátria aos velhos proprietários dela. Então, me diga o que é que eu faço, Bárbara.

BÁRBARA. Você toma esse café bem doce que eu acabei de preparar. Você relaxa, dorme e amanhã as ideias vão estar mais claras.

SOUTO. Eu não vejo como as ideias possam ficar mais claras.

BÁRBARA. Eu também não. Mas quando a gente não vê saída pra uma situação, não adianta bater com a cabeça na parede. É melhor esperar. E, enquanto espera, a gente pode pensar noutras coisas. Pensar em sair daqui, mudar de nome, arranjar um emprego, encontrar uma casa...

SOUTO. Imagina eu, numa casa caiada de branco, um carneirinho pintado na porta, e aquela pombinha flutuando... aquela pomba filha da puta, eu estupro aquela pomba!

BÁRBARA. Quieto, relaxa, recosta a cabeça... Deixa eu tirar isso aqui, que vai te incomodar... *(Afasta o fuzil.)*

SOUTO. *(Levantando-se, num pulo.)* Me dá a minha arma, mulher, passa aqui o meu fuzil!

BÁRBARA. Sebastião...

SOUTO. *(Saltando sobre ela.)* Me dá isso aqui, porra! *(Apanha o fuzil com violência.)*

BÁRBARA. Sebastião, o que é que você tem?

SOUTO. Eu ouvi barulho... Tem gente aqui...

BÁRBARA. Não tem ninguém, menino, sossega...

SOUTO. Você fez muito barulho... Você fez de propósito...

BÁRBARA. *(Tentando tocá-lo.)* Sebastião, vem cá, vem...

SOUTO. Não encosta, mulher! O que é que você quer, hein?

BÁRBARA. Eu? O que é que eu quero? Nada, não quero mais nada...

SOUTO. Você tava me enredando... Eu sei que você tava me enredando...

BÁRBARA. Te enredando como, Sebastião? O que é isso?

SOUTO. Aquela conversa... Aquela conversa estranha...

BÁRBARA. Você não entendeu nada, cretino. Era amor o que eu estava te propondo, ouviu?
SOUTO. Não podia haver proposta mais sórdida... E talvez até você tenha uma carta de algum comandante amigo seu... Um cliente... Uma anistia, quem sabe...
BÁRBARA. Eu não tenho nada...
SOUTO. Besteira, é lógico que não. Eu continuo atravessado na garganta deles. Podem perdoar os comandantes, os reis podem se dar o rabo, mas Sebastião do Souto, esse não, esse nome eles não vão engolir jamais.
BÁRBARA. Escuta, homem, você está se valorizando além da conta. Estou te dizendo que a guerra acabou. Despe essa fantasia, vende o teu fuzil e vai ficando por aí mesmo que ninguém vai te incomodar.
SOUTO. Agora eu começo a te entender, Bárbara. Abrindo as pernas pra mim, dizendo que me ama, pedindo pra eu voltar sempre, pra ficar mais um pouco, você está é me atraindo para uma cilada...
BÁRBARA. Não seja idiota, Sebastião.
SOUTO. É pra vingar o falecido? Ou pelos 1.800 florins, sua puta?
BÁRBARA. Você está doente.
SOUTO. É claro, claríssimo, desde o começo fazendo o jogo deles. Onde é que eles estão? Responde! Onde é que estão os teus amigos? Ei, flamengos de merda, aqui estou eu, Sebastião do Souto, aquele com a cabeça a prêmio por 1.800 florins!
BÁRBARA. Se você quer se matar, que se mate! Mas vá se matar lá fora!
SOUTO. Sou ele mesmo, o Capitão Souto! Ele mesmo, o incendiário! Ele mesmo, o terrorista!
BÁRBARA. Agora basta, Sebastião, pelo amor de Deus!

SOUTO. Sou ele mesmo, o Capitão Sebastião do Souto! O que é que há, estão com medo? Eu sei que vocês estão aí! *(Vão aparecendo alguns soldados holandeses.)* Sou ele mesmo aquele que matou Calabar! Sou aquele que tem os colhões de Calabar! Sou aquele que tem o tesão de Calabar!

BÁRBARA. Sebastião, cuidado!

SOUTO. *(Rindo.)* Cuidado? Eu?

SOUTO *leva um tiro mas não cai.*

SOUTO. Ah, cães holandeses... A todos vós hei de tirar as vidas, porque eu sou o Capitão Souto, que tantas vezes vos tenho feito fugir em Pernambuco e Bahia...

Leva outro tiro e cai atirando.

SOUTO. Aqui eu fico. Mas se além disso fazeis questão de saber qual é a minha pátria, ficai sabendo que não nasci na ilha natante de Delos, como Apolo, nem na espuma do agitado oceano, como Vênus. Não. Eu nasci mesmo foi na Baía da Traição, Paraíba, onde a natureza não tem necessidade alguma da arte... E se morro sem poder trair no meu último instante, ainda assim não me desmereço, e morro me traindo, porque morro dizendo que te amo, Bárbara. *(Morre.)*

BÁRBARA *canta* Fortaleza:

A minha tristeza não é feita de angústias.
A minha tristeza não é feita de angústias,
A minha surpresa,
A minha surpresa só é feita de fatos,
De sangue nos olhos e lama nos sapatos.
Minha fortaleza,
Minha fortaleza é de um silêncio infame,
Bastando a si mesma, retendo o derrame
A minha represa.

ANNA *aproxima-se de* BÁRBARA, *abre uma cesta e começa a paramentá-la.*

ANNA. Olha que pano bonito... Não. Este aqui vai melhor com a tua pele... Ou este aqui... Não sei, o que é que você acha?
BÁRBARA. Tanto faz...
ANNA. Como, tanto faz? Olha, fica com o vermelho. É mais alegre.
BÁRBARA. É?
ANNA. Você não está dando atenção... Esses cabelos, você tem que puxá-los para trás. Não tem por que esconder um rostinho tão bem-feito...
BÁRBARA. Pinta o meu rosto, Anna.
ANNA. Você vai ficar linda, mulher. Você é moça ainda, tem tudo para ser feliz, ganhar muito dinheiro, viajar, arranjar um casamento, ganhar mais dinheiro ainda... Me empresta algum... Puxa, que carranca a tua! Tá bem, então não precisa me emprestar nada... *(Pausa.)* Depois você fica viúva, arranja um casamento melhor ainda, vira marquesa... Deixa eu experimentar esse carmim... Mulher, você vai ficar linda mesmo. Eu vou te levar pro outro lado da cidade, naquelas luzes...
BÁRBARA. ... Eu me sinto muito só, Anna. Agora que Sebastião morreu, então, é como se Calabar nunca tivesse existido... Mas estou aliviada... Você conheceu Calabar?
ANNA. Eu? Só de ouvir você falar...
BÁRBARA. Conhece mais alguém que tenha conhecido Calabar? Não. É claro que não. Pois se Calabar nunca existiu... Pode perguntar por aí... Alguém vai dizer que ouviu falar de alguém que ouviu falar de alguém que um dia viu uma alucinada gritando um nome parecido. Então fica provado que Calabar nunca existiu, para descanso de todos. Me pinta mais.
ANNA. Agora você está falando certo, mulher. Porque há uns tempos, vou te contar. Você não dizia coisa com coisa... Só mais um pouco desse pó...

BÁRBARA. Sebastião do Souto... é a mesma coisa. Está ali o defunto, ainda quente, e não se fala mais no assunto.

ANNA. Amar um homem já dá muito trabalho. Dois, ao mesmo tempo, é de lesar qualquer uma.

BÁRBARA. Eu amo a mesma coisa neles dois. Uma energia furiosa que havia dentro desses homens. Uma energia que vai continuar movendo outros homens à morte, à morte, à morte, a quantas mortes forem necessárias.

ANNA. Pois eu não sei pra que uma morte há de ser necessária... Essa gente vai morrendo aí aos montes, faz um barulho danado e ninguém toma conhecimento. Você mesma disse isso.

BÁRBARA. Pois é, às vezes dá vontade de pensar assim também, Anna. Juro que dá vontade de pensar desse seu jeito torto. E pensar de outro modo, dá até um pouco de vergonha...

ANNA. E não é? O que valem os grandes gestos, as grandes palavras, as belas intenções, essas coisas em que a gente não pode nem se roçar...

BÁRBARA. Com o tempo, a gente vai sendo acostumada a ter vergonha de muita coisa. Vergonha de acreditar que vale a pena lutar por alguma coisa que preste. Algum veneno vai fazendo a gente desacreditar que, afinal de contas, é bonito ver um homem jogar toda a sua força e todo o seu amor numa luta dessas. Luta pensada ou luta confusa, certa ou errada, um homem morrer por isso, não é bonito?

ANNA. Morte necessária, morte bonita, eu já não sei se existem essas mortes, não.

BÁRBARA. Algum veneno vai fazendo a gente acreditar que não. Fica melhor acreditar que esses homens morreram porque eram desprezíveis. Ou eram uns desajustados, uns loucos, uns idiotas, melhor esquecer que esses homens existiram. Me dá um gole dessa bebida aí. *(Bebe.)*

ANNA. Vou fazer uma sombra aqui debaixo dos olhos. Dá assim um ar de mistério.

BÁRBARA. E o coração continua dizendo que é bonito. Porra, como é bonito uma pessoa ainda nova largando tudo, abrindo o peito... E o meu caminho seria o mesmo caminho escuro que engoliu Calabar e Sebastião. Eu falo isso, me ouço falar e acho que soa bem... Mas tenho medo, Anna. A verdade é que eu não sou mais nada, me sugaram tudo, eu não quero mais essas mortes tão perto de mim. Me dá outro gole... horrível dizer isso, Anna, mas eu quero Viver...

ANNA. Claro, Bárbara. Levanta o rosto, deixa eu ver. Acho que agora você está pronta.

BÁRBARA. Não, me pinta mais.

ANNA. Não precisa, Bárbara. Olha aqui no espelho como você está linda...

BÁRBARA. Não, espera, eu continuo tão pálida... Me passa aqui essas tintas que eu vou te mostrar *(Começa a se pintar desordenadamente.)* Me passa a garrafa...

ANNA. Cuidado com as tintas, Bárbara... Vai ficar exagerado.

BÁRBARA. Ninguém vai me ver assim abatida. É isso o que eles querem. Eu não vou deixar eles me verem assim arrasada...

ANNA. Já está bom, mulher. Vamos...

BÁRBARA. Eu vou contigo, Anna, deixa eu terminar... Quero ficar bonita igual a você. Com cara de festa...

ANNA. Não adianta, você não vai conseguir. Não há pintura que te faça igual a mim. Teus olhos... Olha aí, teus olhos ainda são capazes de se assustar com alguma coisa. A tua boca ainda arranja um jeito de dizer uma verdade. Olha os meus olhos, a minha boca... Teu rosto... Olha só o que você fez com o teu rosto, mulher, você borrou tudo... *(Começa a rir...)* Estragou todo o meu trabalho *(Sempre rindo...)* Você não tem jeito, Bárbara, você... *(Segura o rosto dela e fica séria...)* Mesmo assim você está linda. E eu te quero muito, mulher!

ANNA e BÁRBARA *cantam* Anna e Bárbara.

ANNA. Bárbara,
Bárbara,
Nunca é tarde,
Nunca é demais.
Onde estou?
Onde estás?
Meu amor
Vou te buscar.
BÁRBARA. O meu destino é caminhar assim
Desesperada e nua
Sabendo que, no fim da noite,
Serei tua.
ANNA. Deixa eu te proteger do mal,
Dos medos e da chuva,
Acumulando de prazeres
Teu leito de viúva.
AS DUAS. Bárbara,
Bárbara,
Nunca é tarde,
Nunca é demais.
Onde estou?
Onde estás?
Meu amor
Vem me buscar.
ANNA. Vamos ceder à tentação
Das nossas bocas cruas
E mergulhar no poço escuro
De nós duas.
BÁRBARA. Eu vou viver agonizando
Uma paixão vadia,
Maravilhosa e transbordante
Feito uma hemorragia.
AS DUAS. Bárbara,

Bárbara,
Nunca é tarde,
Nunca é demais.
Onde estou?
Onde estás?
Meu amor
Vem me buscar.
Bárbara...

BÁRBARA, O FREI, O CONSULTOR e NASSAU *são duas cenas simultâneas, uma se imobilizando para dar lugar à outra.*
BÁRBARA. Padre... Padre Manoel do Salvador!
FREI. Ele mesmo...
BÁRBARA. Tá me reconhecendo?
FREI. Me lembro de a ter visto...
BÁRBARA. Por aí... O meu nome. Sabe o meu nome?
FREI. Devia?
BÁRBARA. Não. Padre, eu quero me confessar...
FREI. Bem, amanhã...
BÁRBARA. Aqui...
BÁRBARA. Aqui.
FREI. Olha, moça, você passe amanhã...
BÁRBARA. Espera, padre, é rápido. Só quero que o senhor me responda uma coisa. O que é que o senhor, padre, está fazendo com os holandeses?
FREI. Não sei por que lhe havia de responder...
Afasta-se alguns passos.
BÁRBARA. Padre! O meu nome é Bárbara.
FREI *olha-a atentamente.*
BÁRBARA. *(Irônica.)* É, Bárbara...
FREI. A Bárbara...
BÁRBARA. Essa mesma... Não dá pra reconhecer, né?
FREI *tem um gesto evasivo.*
BÁRBARA. Estou bonita?

FREI. Diferente.

BÁRBARA. Acertou. Diferente. E o Padre, está igual?

FREI. Sempre o mesmo... e com Deus.

BÁRBARA. Padre, eu precisava duma informação... É muito importante pra mim... Como é que o Senhor faz para ser sempre o mesmo, hein? Que diabo de molejo é esse que o Senhor arranjou? Com os portugueses, depois com os holandeses, com os portugueses, outra vez com os holandeses, mais parece uma mala diplomática...

FREI. Você está bêbada.

BÁRBARA *solta uma gargalhada.*

BÁRBARA. E Deus proíbe falar com uma bêbada... É isso, Padre?

FREI. Não, Deus não proíbe, mas o bom-senso, sim. Você...

BÁRBARA. Eu sei... estou bêbada. O mundo é perfeito, e eu estou bêbada. E Calabar morto.

FREI. Porque merecia.

BÁRBARA. É... porque acreditava no holandês... E agora o Padre aí com eles pra cima e pra baixo, bem alimentado e em paz com a sua consciência...

FREI. Calabar traiu...

BÁRBARA. Para se ver o traidor é preciso mostrar a coisa traída.

CONSULTOR. *(Para* NASSAU:*)* Conde... Acabo de receber instruções. E temo que não sejam agradáveis.

NASSAU. Entre medos e coragem,
Entre ansiedade e náuseas,
Entre fidalgo e corsário...

CONSULTOR. Como?

NASSAU. Nada.

FREI. *(Para* BÁRBARA:*)* Se você quiser se confessar, estarei aqui amanhã.

BÁRBARA. Não, Padre, não quero. O que eu tenho pra falar é aos homens, não a Deus.

NASSAU. Alguma vez você sentiu que o seu destino é tão grandioso, tão maior que o dos outros homens, tão independente dos teus atos que chega a assustar, ao mesmo tempo que te dá uma intensa sensação de prazer? Alguma vez? E depois os teus gestos se repetem e no seu cotidiano você passa a acreditar nesse destino até o dia em que tudo fica amargamente claro e você descobre que nada estava escrito a não ser nas tuas próprias ilusões. Que o caminho que parecia irreversível deu um nó com você lá dentro... Alguma vez?

BÁRBARA. E Calabar?

FREI. *(Para* BÁRBARA:*)* Calabar é um assunto encerrado. Apenas um nome. Um verbete. E quem disser o contrário atenta contra a segurança do Estado e contra as suas razões. Por isso o Estado deve usar do seu poder para o calar. Porque o que importa não é a verdade intrínseca das coisas, mas a maneira como elas vão ser contadas ao povo.

NASSAU. Sabe de uma coisa?... Eu até tinha um certo desprezo por você. Ainda agora nem sempre sei o seu nome... Mas acabo de descobrir que também sou um homem de corredores. De portas que se abrem para novos corredores, de corredores que dão para outras portas. Sempre dentro do palácio.

CONSULTOR. Como interventor da Companhia das Índias e dos Estados Gerais, queria anunciar-lhe oficialmente que a sua gestão...

NASSAU. Foi um fracasso.

CONSULTOR. O orçamento...

NASSAU. Estourou.

CONSULTOR. As ações...

NASSAU. Nunca estiveram tão baixas.

CONSULTOR. A expedição ao Chile e a conquista da América espanhola...

NASSAU. Foi um ataque de megalomania.

CONSULTOR. Acusam mesmo Vossa Senhoria...

NASSAU. De botar a mão nos cofres para as minhas obras. E não vou negar.
CONSULTOR. Ou Vossa Senhoria renuncia...
NASSAU. Ou?...
CONSULTOR. Existem precedentes de sanções mais graves. Definitivas.
NASSAU. Sei que falhei. Sei também que fui bem-sucedido. Sei que me equilibrei na corda bamba, sorri para todos os lados, disse sim e fiz não, pendurado num vice-versa a que me dava direito a condição de político e comandante. Tudo por causas nobres, imensas, na escala do futuro. Fiz tudo isso com orgulho, sem medo de julgamentos, críticas, porque dentro de mim eu tinha uma meta que nada me impediria de alcançar. E agora constato que, tudo, mesmo aquilo de que ainda me orgulho, pode ser classificado de traição. O resto foram apenas salamaleques. Mas orgulhoso, indiferente ou cético, mesmo assim eu sei do meu fracasso. O mais engraçado, o que me faz rir a bandeiras despregadas, é que nada disso me importa... *(Canta, sério.)* Porque esta terra ainda vai cumprir seu ideal: ainda vai tornar-se um imenso canavial...

Iluminação para a festa de adeus. Faixas de saudações dos comerciantes locais, judeus etc. Mulheres vistosas, papagaio, negros com boinas e telas de pintor renascentista, índios especulando em torno de uma luneta. NASSAU *no alto da ponte.*

NASSAU. Eu sou Maurício de Nassau, o Brasileiro. E parto levando uma fatia do Brasil dentro das minhas tripas... E daqui em diante, eu falo para a História. Escrivão! Onde diabo se meteu o escrivão?
ESCRIVÃO. Sim, Excelência!
NASSAU. Anote nos autos... Quando pisei estas terras, pisei fofo e pisei firme...

CONSULTOR. É preferível ditar um texto formal.
NASSAU. Tem razão. *(Solene.)* Cheguei, vi, amei e construí. E em poucos anos eu fiz o princípio do futuro.
ESCRIVÃO. Alteza, se me permite expressar o meu sentimento...
CONSULTOR. Silêncio... Escrivão não sente. De agora em diante, neste Brasil, escrivão escreve. Assim como estudante estuda, censor censura, ator atua etc. etc. etc.
NASSAU. E se mais não me foi dado criar, é porque atrás de um homem de visão há sempre uma batelada de generais, banqueiros e burocratas. Eu sou um homem de armas. E um humanista. E essa combinação é difícil em qualquer século. Porque conquistei, mas não fui implacável no exercício do poder, porque da repressão não fiz a minha última paixão, porque não troquei todos esses horizontes em florins, dizem agora que errei... Pouco importa!

... Trouxe a esta terra o ferro de uma civilização que não buscava nada mais além de riquezas. E, nesta cruzada maldita, não fui o único. Os meus adversários traziam a mesma ganância, traduzida em outros idiomas, escondida em outras liturgias, disfarçada em outras promessas. Português, espanhol, flamengo, logo mais o inglês, que importa o resultado? Nos seus sorrisos, a mesma goela escancarada sobre o mesmo estômago sem fundo.

A mesma Companhia que me trouxe, me leva. Parto sem rancores, sem ódios, nos meus olhos gravadas estas paisagens, nas narinas estes cheiros adocicados, na língua, enrolada, estas palavras nativas. O meu castigo maior vai ser o de falar para as paredes da Europa, frases que ninguém pode entender. E quando, entre pás de moinhos de vento, quando, no gelo dos invernos, eu disser goiaba, jaboticaba, xavante, dendê, jacarandá, tatu-bola, eu terei mais vivo o sentimento da minha obra e mais cruel e exato o sentimento da minha singularidade.

Adeus, terras brasileiras, onde tanto cobicei, remexi e nada aprendi, além da certeza de que só o homem faz a História do homem. Mas pobre do orador que pretende falar para o futuro, mesmo quando esse futuro dista dele apenas os segundos que o separam do ouvinte atento. A palavra do homem de consciência só pode transformar o passado, mas o passado não tem outra possibilidade de transformação, que não seja o de ser contado de modo diferente.

Vai, Maurício. Não foste o primeiro, e o último não serás a pisar com botas estas terras. Só peço que de mim não guardem uma imagem deformada. Sou o que fui e fui grande na mesquinhez dos meus interesses. Nos livros, assim quero e serei lembrado. E assim será, até que outro tipo de história seja vivido e escrito, parido num dia de não sei qual horizonte.

E se vos causa espanto que seja eu, Maurício de Nassau, que assim vos fala, fora da minha nobreza, fora do meu tempo, fora de toda a lógica, procurai arrancar desse espanto a resposta que meus lábios não sabem articular.

Adeus, terras brasílicas. Bom dia, um dia, Brasil.

Luz em BÁRBARA.

BÁRBARA. Esperais um epílogo do que vos foi dito até agora? Estou lendo em vossas fisionomias. Mas sois verdadeiramente tolos se imaginais que eu tenha podido reter de memória toda essa mistura de palavras que vos impingi. A história é uma colcha de retalhos. Que importa o que Mathias cantou, o que Dias arrotou, o que Nassau improvisou, o que Anna debochou, o que Bárbara esbravejou, o que Souto pentelhou... O que importa é o resto, que é tudo, e o resto somos nós. Por isso, em lugar de epílogo, eu quero vos oferecer uma sentença, à guisa de charada: odeio o ouvinte de memória fiel demais.

Por isso sede sãos, aplaudi, bebei, vivei, votai, traí, ó celebérrimos iniciados nos mistérios da traição.

Todo o elenco canta O elogio da traição*:*
O que é bom pra Holanda é bom pro Brasil

O que é bom pra Luanda é bom pro Brasil
O que é bom pra Espanha é bom pro Brasil
O que é bom pra Alemanha é bom pro Brasil
O que é bom pro Japão é bom pro Brasil
O que é bom pro Gabão é bom pro Brasil
O que é bom pro galego é bom pro Brasil
O que é bom pro grego é bom pro Brasil
O que é bom pra troiano é bom pro Brasil
O que é bom pra baiano é bom pro Brasil
O que é bom pra inglês é bom pro Brasil
O que é bom pra vocês é bom pro Brasil
O que é bom pra mamãe é bom pro Brasil
O que é bom pro neném é bom pro Brasil
O que é bom pra fulano é bom pro Brasil
O que é bom pra (......) é bom pro Brasil
O que é bom pra (......) é bom pro Brasil
O que é bom pra (......) é bom pro Brasil
O que é bom pra (......) é bom pro Brasil
O que é bom pra (......) é bom pro Brasil
O que é bom pra (......) é bom pro Brasil
O que é bom pra (......) é bom pro Brasil
O que é bom pra (......) é bom pro Brasil
O que é bom pra (......) é bom pro Brasil

Até baixar o pano.

O texto deste livro foi composto em Sabon LT Std, desenho tipográfico de Jan Tschichold de 1964 baseado nos estudos de Claude Garamond e Jacques Sabon no século XVI, em corpo 10,5/14. Para títulos e destaques, foi utilizada a tipografia Frutiger, desenhada por Adrian Frutiger em 1975.

A impressão se deu sobre papel off-white 90g/m² pelo Sistema Digital Instant Duplex da Divisão Gráfica da Distribuidora Record.